Pétersbourg, mai 1901.
Trois voyageurs s'installent dans le train pour
Irkoutsk, trois scientifiques. Herz, Sevastianov
et Pfizenmayer ont été mandatés
par l'Académie pour rapporter le mammouth.
Ils partent avec seize mille roubles,
de quoi payer hommes, équipages et matériel.
La route sera longue: six mille kilomètres
en traîneau d'Irkoutsk à la Berezovka.
Le 2 septembre, ils sont à Kolymsk.

Le 14 septembre, ils aperçoivent à travers les mélèzes, pointant en l'air, le crâne du mammouth. Tronc et membres sont encore entièrement ensevelis dans la terre et la glace.

Une énorme masse congelée,
impossible à déterrer.
La solution s'impose: réchauffer le sol, faire
fondre la glace. Autour du mammouth,
on construit une cabane de rondins,
sorte de sauna chauffé par deux fourneaux...

Peu à peu, dans une puanteur épouvantable,
les chairs se ramollissent, la peau se détache,
les viscères apparaissent. Dans l'estomac,
du serpolet, des renoncules, des gentianes,
le dernier repas du mammouth... Et dans la terre,
des masses de poils, longs et bruns.
Six semaines durant, Herz, Sevastianov et
Pfizenmayer découpent, débitent la carcasse.
Le 10 octobre, le travail est terminé.
Les plus gros morceaux du mammouth
sont maintenant cousus dans des peaux.

Mille kilos d'os, de chair, de viscères.
Mais comment les conserver?
Le froid de Sibérie apporte la réponse: il ne
faut pas une nuit pour que les sacs sortis de
la cabane soient à nouveau congelés.
Et le 15 octobre, enfin, un spectacle étonnant
se déroule dans les steppes glacées:
dix traîneaux, tirés par des chevaux, convoient
le premier mammouth que jamais oeil humain
ait contemplé dans les temps modernes.

Yvette Gayrard-Valy est ingénieur de recherche au Centre national de la recherche scientifique. Affectée à l'Institut de paléontologie du Muséum national d'histoire naturelle, elle y est chargée des collections d'invertébrés, matériel de référence pour tout travail de recherche. En outre, une part importante de son activité est orientée vers l'accueil et l'information des chercheurs, la diffusion des connaissances: préparation d'expositions, conférences spécialisées, publication d'ouvrages et d'articles pour grand public. Elle a publié, entre autres, *la Paléontologie,* dans la collection «Que sais-je?», aux PUF.

Pour Cécile

1er dépôt légal: Octobre 1987
Dépôt légal: Juin 1988
Numéro d'édition: 43869
ISBN 2-07-053034-5
Imprimé en Italie

LES FOSSILES
EMPREINTE
DES MONDES DISPARUS

Yvette Gayrard-Valy

DÉCOUVERTES GALLIMARD
SCIENCES

Dans l'immense chaîne des êtres vivants, l'homme fait figure de nouveau-né. De ceux qui l'ont précédé, de ces êtres de pierre, il a une vague intuition; au hasard d'un chemin, d'une grève, des objets étranges le font rêver. Peu à peu, naissent les légendes, légendes de dieux et de démons, légendes de monstres...

CHAPITRE PREMIER

MYTHES ET LÉGENDES

Au-delà de la mort, restent les traces : le sable est devenu pierre, enserrant le poisson pour l'éternité.

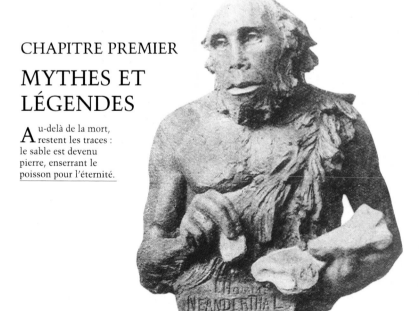

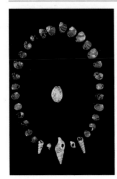

A quand remonte l'intérêt de l'homme pour les fossiles? A l'apparition de l'homme lui-même, du moins de l'homme pensant, l'*Homo sapiens*. On a en effet retrouvé dans la grotte d'Arcy-sur-Cure, en Bourgogne, une collection de gastéropodes et de coraux fossiles. Son propriétaire ? Un homme – ou plutôt un groupe d'hommes – de Néandertal, ce représentant de l'espèce humaine apparu il y a 80 000 ans et qui aurait vécu dans cette grotte.

Collier de coquilles fossiles contemporain de Cro-Magnon (-35 000 ans) et marbre fossilifère taillé en figurine humaine au néolithique (-10 000 ans)... Aussi loin que l'on remonte dans l'histoire humaine, les fossiles sont présents.

Comment a-t-il découvert ces fossiles? Peut-être au retour d'une chasse, ou alors qu'il glanait quelques fruits, ou encore au cours d'une de ses migrations à la recherche de nourriture. Le hasard. Comme pour ses lointains descendants. Jusqu'à une période récente – on a désormais les moyens techniques et scientifiques de prospecter systématiquement –, la découverte de fossiles a été le fruit du hasard : une promenade, l'exploitation d'une carrière, l'ouverture du sol pour de grands travaux...

Imaginons le regard de l'homme de Néandertal attiré par une pierre différente des autres, qui lui évoque un animal déjà vu ailleurs, peut-être au cours d'une de ses migrations saisonnières qui le mènent à la recherche de nourriture. Ou, au contraire, qui lui est totalement étrangère. Et il n'y en a pas qu'une. Car elles sont toujours groupées : on parle de gisements de fossiles. Bref, ces pierres l'étonnent, l'intriguent. Il les ramasse. C'est le début d'une collection. Pourquoi ? Simplement pour leur beauté ? Leur attribue-t-il des vertus magiques, religieuses ? On ne peut répondre à sa place.

Grimaldi, Dunstable Down, Issoire... des noms qui renvoient à l'histoire des origines de l'homme. Nombre de grottes, de cavernes et de sites préhistoriques recèlent des oursins, des ammonites, des coquilles, des dents de squale , tous fossiles, souvent percés comme pour être portés en amulette.

Dans la grotte des Enfants, à Grimaldi, près de Menton, on a découvert en 1875 deux squelettes, ceux d'une vieille femme et d'un adolescent, serrés l'un contre l'autre, jambes repliées, accompagnés de silex. Ils étaient colorés en rouge et portaient aux hanches et sur le crâne plusieurs rangs de *Nassa nerinea*, des petits gastéropodes fossiles (ci-dessus). La sépulture date du paléolithique supérieur et ces fossiles humains sont ceux d'*Homo sapiens*, nos ancêtres, qui ont vécu il y a 35 000 ans, à la fin de la quatrième glaciation.
Mammouths, rennes et antilopes saïga parcouraient alors steppes et toundras. Quant aux hommes, ils se réfugiaient dans les grottes ou les abris sous roche.

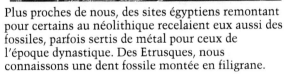

Plus proches de nous, des sites égyptiens remontant pour certains au néolithique recelaient eux aussi des fossiles, parfois sertis de métal pour ceux de l'époque dynastique. Des Étrusques, nous connaissons une dent fossile montée en filigrane.

Domaine agité des dieux, le ciel antique est un grand pourvoyeur de fossiles

Les dents de squale sont, nous dit Pline l'Ancien, des langues pétrifiées tombées du ciel pendant une éclipse de lune. Il leur donne le nom de *glossopetrae*, «langues de pierre», qu'elles garderont jusqu'au XVIIe siècle. Les oursins, eux, sont souvent considérés comme de simples pierres venues avec le tonnerre ou la pluie. Mais Pline y voit plutôt de «petites tortues naguère écloses, changées en pierre» ou des œufs de serpent. «Les druides portent cet œuf dans leur enseigne et tiennent qu'il est souverain pour obtenir d'un prince ce qu'on voudra», écrit un chroniqueur.

Du ciel nous vient aussi l'ambre, urine de lynx durcie – claire pour les femelles, foncée pour les mâles –, «suc des rayons du soleil», larmes des oiseaux méléagrides ou des Nymphes changées en peupliers et pleurant Phaéton foudroyé, ou encore écume de mer ou de «veaux marins» durcie. On le nomma *Electrum* (d'un des noms du soleil, *Elector*) ou *Succin* (Pline, *Histoire naturelle*). Mais on entrevit rapidement sa véritable origine résineuse, tout en le croyant fondu par les rayons du soleil et solidifié par la mer.

«La corne d'Ammon est faicte à mode d'une corne de bélier respliée dans soy et semble quelquefois estre couverte d'une armeure d'or»

L'enroulement des ammonites les fait appeler «cornes d'Ammon» (le dieu égyptien figuré sous la forme d'un bélier). Les ammonites seront utilisées par les magiciens pour faire apparaître «des visions divines en dormant». Durant le Moyen Age, on les prend pour des serpents enroulés, queue au centre, sans tête, ce qui leur vaut le nom de *snakestones* en Angleterre et de *Schlangenstein* ou *Ophit* en Allemagne. Une légende du Yorkshire, émanant plus précisément de la ville de Whitby, en fait d'anciens petits serpents à

L'abbesse saxonne Hilda voulait ériger un couvent dans la région de Whitby. Mais par suite d'une malédiction, l'endroit était infesté de petits serpents. Pour nettoyer les lieux, Hilda les aurait pétrifiés.

Le travail du «faussaire» est si bien fait que l'on pourrait croire que les ammonites ont toujours eu une tête de serpent.

Dans l'Egypte ancienne, Amon-Râ, maître des dieux, était représenté avec une tête de bélier aux cornes enroulées. Les ammonites (coquilles de l'ère secondaire que l'on ne trouve qu'à l'état fossile) doivent leur nom à leur ressemblance avec ces cornes.

qui sainte Hilda aurait fait perdre la tête. Pour perpétuer la légende, les ramasseurs d'ammonites les «restaurent» en leur sculptant une tête... avant de les vendre.

On pourrait multiplier à l'infini les exemples de ces interprétations. Mais il ne s'agit encore que de petits fossiles.

Face aux restes de grands vertébrés, l'imagination s'inquiète et engendre des légendes mettant en scène des animaux terrifiants, des monstres mythiques, des géants

On peut supposer l'effroi des marins achéens (les anciens Grecs) découvrant, il y a 5 000 ans, sans doute, dans une grotte située au pied de l'Etna, en Sicile, des os énormes, semblables à des os d'homme, d'homme immense. Et un crâne, puis un autre, énormes eux aussi, affreux, percés en leur front d'une seule orbite béante, sinistre. Aucun doute, il s'agissait là d'hommes gigantesques, monstres épouvantables à un seul œil,

FUIMUS·ET·SUMUS

En souvenir de la légende, les ammonites à tête de serpent figurent sur les armes de la ville de Whitby, patrie de sainte Hilda.

probablement les habitants de l'île, dont les marins venaient de profaner la sépulture. Mieux valait renoncer à ces terres et déguerpir au plus vite.

Au pays, les Grecs écoutèrent avidement le récit des voyageurs, imaginant les sinistres créatures et se rassurant de les savoir si loin. Mais on avait appris maintenant que là-bas, à l'ouest, vivaient des géants à un seul œil... qui n'empêchèrent pas les Achéens de fonder une colonie en Sicile. Les années passèrent, les siècles. La nouvelle se transmit de génération en génération. Et au Ve siècle de notre ère, l'historien grec Thucydide identifie les flancs de l'Etna comme le pays des Cyclopes où l'infortuné Ulysse vit périr plusieurs de ses compagnons, dévorés par le Cyclope Polyphème, fils de Poséidon. Opinion accréditée par son contemporain, l'érudit Empédocle d'Agrigente. Ils se trompaient : la Cyclopie se situait plus au nord, près de Naples. Mais peu importe. Ils reprenaient une croyance répandue.

Durant des siècles, personne ne mit plus en doute la réalité des Cyclopes, qui prirent place dans l'immense famille des Géants. Pline cite la découverte du squelette d'Orion, en Crète, qui mesurait 26 coudées (23 m). Plus modeste, celui d'Oreste n'était, selon Hérodote, que de 7 coudées (3,50 m). Le squelette d'Ajax fut retrouvé à Salamine... Les Arabes les reconnurent aussi. Pendant le Moyen Age et la Renaissance, on y croit plus que jamais. On continue, entre le XIVe et le XVIe siècle, à découvrir en Sicile nombre d'ossements gigantesques, tous répertoriés dans un ouvrage daté de 1558.

Les êtres que l'on a appelés cyclopes ont réellement existé, plusieurs dizaines de millénaires auparavant, tout comme les autres créatures gigantesques exhumées ici et là, leurs proches parents. Malgré leurs énormes molaires, ils n'ont

❝ Nous arrivâmes à la terre des Cyclopes, ces géants sans lois, qui se fient aux dieux immortels et ne font de leur bras aucune plantation, aucun labourage. (...) Arrivés à cette contrée qui était proche, nous vîmes à la pointe extrême, près de la mer, une haute caverne couverte de lauriers. Là, parquait un nombreux bétail, brebis et chèvres; tout autour, un haut mur d'enceinte avait été construit avec des pierres fichées en terre, des pins élancés et des chênes à la haute chevelure. Et là, gîtait un homme gigantesque, qui paissait ses brebis seul, loin des autres; car il ne les fréquentait pas et restait à l'écart, ne connaissant aucune loi. C'était un monstrueux géant; il ne ressemblait même pas à un homme mangeur de pain, mais à un pic boisé, qui apparaît isolé parmi les hautes montagnes. ❞

Homère,
L'Odyssée, chant IX

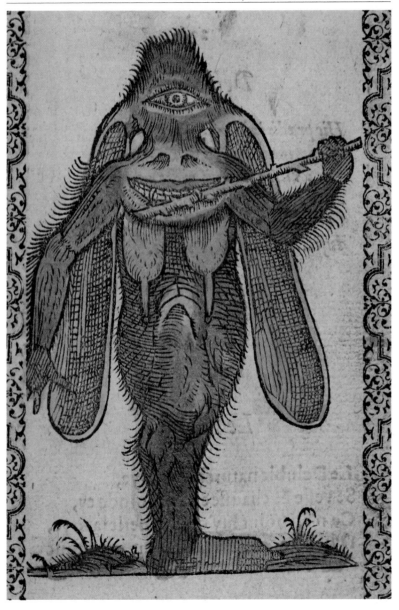

jamais goûté la moindre parcelle de chair humaine.
Ils étaient végétariens ! Et ils avaient deux
petits yeux ronds et paisibles.
L'énigmatique orbite n'était qu'une
ouverture nasale, prolongée de leur
vivant par une trompe. C'était en
réalité d'inoffensifs éléphants nains, qui
vécurent dans les îles méditerranéennes
au début de l'ère quaternaire.

Plus aucun n'était vivant – pas plus
d'ailleurs que les autres éléphants d'Europe,
restes bien réels de géants imaginaires –
lorsqu'ils furent découverts par les hommes
civilisés.

«Dis-moi à quelle espèce je pourrais bien appartenir»

Des êtres
mythiques, des
géants, des monstres,
on en retrouve partout,
tout au long des siècles, parfois jusqu'à une époque
très récente. Plutarque pensait avoir retrouvé à
Samos les os d'amazones tuées par Dionysos.
Au XVIIᵉ siècle, on croit avoir découvert dans le
Dauphiné la tombe de Theutobochus, «roi des
Cimbres» et, dans les Pyrénées, celle d'Alaric et de
ses guerriers wisigoths. Toujours des vestiges de
grands vertébrés. Plutôt rassurant : les géants ont
été vaincus.

Ange tombé du ciel ou géant de quelque 6 mètres
de haut ? On s'interroge à Lucerne, au XVIᵉ siècle,
sur l'origine des os trouvés près de l'abbaye de
Randen. C'est finalement un géant qui sera peint
sur la tour de l'hôtel de ville. A la même époque, en
Allemagne, à Schwäbish Hall, une défense de
mammouth est exposée à la mairie, accompagnée de
quelques phrases :
«En l'an mil six cent cinq
Le 13 février, j'ai été trouvée
Près de Newrbronn, dans la région de Hall
Dis-moi à quelle espèce je pourrais bien appartenir.»

Qui suis-je ? Peut-être un saint. Saint Christophe, par exemple, à qui l'on a attribué une molaire de mammouth trouvée à Valence, ou une vertèbre d'éléphant – fossile, cela va de soi – de Munich. En Bessarabie, au milieu du XIXᵉ siècle, on dansait autour de la reconstitution d'un saint local, faite d'os, de rhinocéros probablement, mis bout à bout.

Grands favoris des légendes, les dragons sont au rendez-vous. Mais licornes et rats géants trouvent aussi leur place dans le folklore

Sur la place de Klagenfurt, dans le sud de l'Autriche, trône un monstre doté de tous les attributs du dragon classique, sculpté au tournant du XVIᵉ et du XVIIᵉ siècle. Pur produit de l'imagination ? Pas complètement. Sa tête est la copie d'un crâne de rhinocéros laineux, un animal mort il y a quelques dizaines de milliers d'années, trouvé vers 1335 et exposé un temps à l'hôtel de ville. Le pauvre animal avait été le dragon d'une légende locale, il était donc normal que le sculpteur donne ce «visage» à son œuvre. Othenio Abel, un paléontologue de la

L'Europe et les rives de la Méditerranée étaient le domaine de grands mammifères aujourd'hui disparus. La famille la plus spectaculaire est celle des proboscidiens, représentés à l'époque actuelle par les éléphants mais qui comprenaient à l'ère tertiaire d'autres espèces, géantes. Les *Deinotheria* mesuraient 4 m au garrot, ils n'avaient de défenses qu'à la mâchoire inférieure. Autres espèces : les mastodontes disparus au début du Quaternaire, pourvus de deux paires de défenses, supérieures et inférieures et les mammouths aux défenses supérieures très recourbées n'apparaissent qu'au Quaternaire. Ils étaient contemporains des hommes des cavernes, et on les reconstitue d'autant plus facilement que des animaux entiers ont été retrouvés congelés, avec leur longue toison, dans différents endroits de Sibérie.

première moitié du XXe siècle, y a vu la plus ancienne reconstitution paléontologique.

Les journaux savants ouvrent leurs colonnes aux dragons. Ainsi, parmi d'autres, la publication de la Kaiserliche Leopoldinische Akademie, une société savante allemande, relate la découverte en 1672-1673 d'os de dragons dans les grottes des Carpathes et de Transylvanie. Illustrations à l'appui – ce qui nous permet de reconnaître un ours.

Au début de notre siècle, dans la région de Mixnitz, en Styrie (Autriche), on frissonnait encore le soir à la veillée, dans les fermes, en écoutant la légende du dragon abattu par un jeune homme héroïque, et dont on aurait retrouvé une partie de squelette au XVIIe siècle : un ours, là encore.

Les dragons chinois, eux, sont bienveillants, ils font tomber la pluie des nuages – un grand bienfait pour l'agriculteur! Les dents et les os gigantesques que l'on retrouve çà et là sont ceux de leurs congénères qui n'ont pas trouvé de nuage pour rentrer au ciel.

En Sibérie, les squelettes de mammouth alimentent la légende d'un gros rat de la taille d'un buffle vivant sous la terre, qui perce des trous dans le roc et dans le bois. Les rayons du soleil ou de la lune lui seraient fatals. Ses déplacements expliqueraient les tremblements de terre. Au milieu du XIXe siècle, Darwin rapporte de semblables légendes d'Amérique du Sud.

Quant aux licornes, un mythe probablement originaire des pays du Levant et indissolublement lié au rhinocéros indien, on a cru retrouver leurs cornes parmi les défenses ou les cornes de nombreux grands mammifères disparus.

A des origines surnaturelles s'adjoignent des propriétés extraordinaires et des vertus thérapeutiques répertoriées dans les anciennes pharmacopées

Anselme Boece de Boot, médecin de l'empereur Rodolphe II, en donne en 1664 une récapitulation assez complète dans son *Parfaict Ioailler ou Histoire des pierreries*. Mais certaines de ces vertus étaient affirmées dès les temps antiques, et ont été

Créatures «engendrées par Satan pour se mesurer avec Dieu», les êtres fossilisés entrent dans les scènes de sabbat. Ils y côtoient les attributs traditionnels des sorcières, les boucs, les breuvages magiques... Pourtant, l'esprit du Mal ne pourra jamais leur redonner vie : Dieu reste le plus fort.

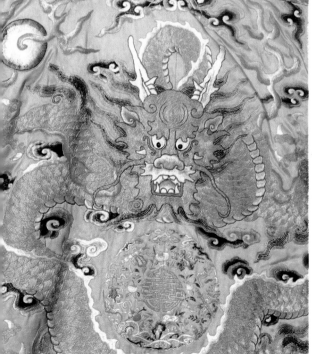

Un gros et grand serpent avec des griffes et des ailes, crachant le feu et la fumée, telle est sans doute la plus commune description du dragon européen, toujours méchant. Heureusement, des héros (Hercule, saint Michel, saint Georges) sont là pour le vaincre. Le dragon chinois (ci-dessous) a des cornes, des griffes et des écailles, et son échine est hérissée d'épines. Son pouvoir, dont il use pour faire le bien, lui vient d'une perle qu'il avale ou qu'il crache. Si on la lui enlève, il perd ce pouvoir. Dragons, monstres, géants... ont hanté toutes les civilisations. Pour les Indiens navajos, les énormes troncs d'arbres entièrement silicifiés qui jonchent par endroit le sol de l'Arizona sont les ossements de Yetso, le grand géant monstrueux que leurs ancêtres durent tuer en arrivant dans la contrée. Pour d'autres tribus, ce sont les manches des flèches que lance leur dieu du Tonnerre, ou encore des armes brisées tombées sur terre au cours d'un combat entre dieux et géants.

reconnues jusqu'à une époque récente, pour ne pas dire actuelle.

Venus du ciel, les oursins préservaient de la foudre, du venin et des empoisonnements. Dans quelques îles du nord de l'Ecosse, l'ammonite, appelée *crampstone*, passe pour guérir «les crampes des vaches, en lavant la partie malade avec de l'eau dans laquelle cette pierre a été mise à tremper durant quelques heures».

Très recherchées par les apothicaires, les bélemnites soignent les cauchemars et les ensorcellements, guérissent les plaies, les pleurésies, nettoient les dents, débarrassent les chevaux des vers parasites (il faut leur faire boire de l'eau où a trempé une bélemnite).

On leur attribue également le pouvoir de soigner les rhumatismes et les blessures aux yeux des hommes et des chevaux : pour cela, on commence par broyer les fossiles et c'est la fine poudre ainsi obtenue que l'on souffle dans les yeux.

Les tests d'oursin sont pris pour des œufs de serpent et on les récolte, dit Pline, parce qu'ils sont «souverains pour obtenir d'un prince ce qu'on voudra».

L'ambre n'est autre que de la résine fossile, et l'insecte, une fourmi ailée piégée... il y a quarante millions d'années.

Utilisé en poudre, huile, bonbon, amulette, collier (usage encore répandu au XXe siècle pour les enfants), l'ambre, dit un chroniqueur, «est bon pour les larmes des yeux, pour le cœur, pour les maladies du cerveau, pour la courte haleine, pour le calcul,

M agiques aussi, les bufonites (en réalité des dents de poisson) se formeraient dans la tête des crapauds.

pour l'hydropisie, pour le flux de sang, pour le mal de dents, pour les mois de la femme, pour l'enfantement, pour la goutte, pour l'épilepsie, pour les catarrhes, pour les maux des jointures, pour l'estomac, pour la peste, pour les épouvantements de nuit (...), il résiste au venin, [c'est] une amulette contre les ensorcellements», il fait tomber la fièvre. Bref «ses forces sont tellement admirables que pour cela on le peut appeler Baume d'Europe».

Quant aux dents de squale, les fameuses glossopètres, prises en poudre, elles sont efficaces contre les morsures de serpent, les vomissements, les fièvres malignes, les enchantements... Mais on pouvait aussi les porter en amulette. Leurs pouvoirs sont tels que, du Moyen Age au XVIIIe siècle, on trouvera sur les tables des sortes de petits arbres où étaient suspendues des pierres-langues, les languiers.

La pharmacopée chinoise a été, et demeure, une grande consommatrice de fossiles. Créatures bienfaisantes, les dragons chinois viennent au secours de l'homme malade. Un traitement médical chinois du XVIIIe siècle reconnaît à

A ntidote recherché à une époque où le poison est une obsession, les glossopètres accrochées aux languiers sont de tous les banquets. Certains languiers sont de magnifiques pièces d'orfèvrerie.

leurs os, leurs dents et à leurs cornes des vertus curatives immenses. Pris brut, frit dans la graisse ou cuit dans l'alcool de riz, à moins que ce ne soit en poudre, le dragon, véritable remède universel, guérit tout, de la constipation au cauchemar ou à l'épilepsie, en passant par les maladies du cœur, du foie, etc.

Les apothicaires chinois ont été, au XIXᵉ siècle et début du XXᵉ siècle, d'un grand secours pour les paléontologues européens. C'est dans leur boutique, en effet, que l'on a trouvé les premiers restes de mammifères fossiles, hélas souvent dans un piètre état, et sans indication de lieu de découverte – grave lacune pour les scientifiques. Ces ossements sont cependant venus grossir les collections européennes, et ont, comme les autres, contribué à une meilleure compréhension de la vie de notre planète.

R emède miracle en Asie, la «corne de licorne» (défense d'éléphant, de rhinocéros ou de narval fossiles) l'est aussi en Europe. En 1700, la pharmacie de la cour de Würtemberg en achète soixante.

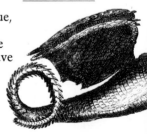

Au Quaternaire vécut à Madagascar un oiseau géant, haut de 2,70 m, l'æpyornis. Contemporain des premiers hommes, il a aujourd'hui disparu. Hérodote, Marco Polo et les légendes persanes en perpétuent le souvenir.

66 Le soleil était près de se coucher. L'air s'obscurcit tout à coup, comme s'il eût été couvert d'un nuage épais. Mais si je fus étonné de cette obscurité, je le fus bien davantage quand je m'aperçus que ce qui la causait était un oiseau d'une grandeur et d'une grosseur extraordinaires, qui s'avançait de mon côté en volant. Je me souvins d'un oiseau appelé Roc, dont j'avais souvent entendu parler aux matelots, et je conçus que la grosse boule que j'avais tant admirée, devait être un œuf de cet oiseau. En effet, il s'abattit et se posa dessus, pour le couver. En le voyant venir, je m'étais serré fort près de l'œuf, de sorte que j'eus devant moi un des pieds de l'oiseau, et ce pied était aussi gros qu'un gros tronc d'arbre. Je m'y attachais fortement. (...) Dès qu'il fut jour, l'oiseau s'envola et m'enleva si haut que je ne voyais plus la terre. 99
Les Mille et Une Nuits

Mythes, légendes et fossiles : l'homme se penche sur l'histoire de son environnement

Aussi extravagantes puissent-elles paraître, ces interprétations doivent être considérées comme une tentative d'explication des phénomènes naturels.
Incapable, de par l'état de ses connaissances, de comprendre les fossiles pour ce qu'ils sont réellement, l'homme cherche malgré tout à leur donner une place dans son univers, dans son histoire.
C'est au savant qu'il appartient de leur donner une explication rationnelle. Lourde tâche, marquée de balbutiements, d'errements.

Tandis que les légendes connaissent une vogue immense, les savants vont de l'avant. Soumis à toutes les interrogations, à toutes les hypothèses, les énigmatiques fossiles vont garder longtemps encore le secret de leur nature et de leur âge.

CHAPITRE II

À LA RECHERCHE DE L'IDENTITÉ DES FOSSILES

Les chercheurs cherchent, les graveurs gravent, les curieux amassent. Les fossiles sont dans les livres, dans les «cabinets de curiosité»... et ils hantent tous les esprits.

Les savants grecs avaient vu juste. Les premières descriptions rationnelles de fossiles, ainsi que les réflexions qu'elles inspirèrent, remontent au VIe siècle avant notre ère. Anaximandre, Pythagore, Xénophane, Hérodote... interprètent les coquilles de pierre et les empreintes de poisson qu'ils ont eu l'occasion d'observer comme des restes d'organismes ayant peuplé jadis les mers. Et si on les trouve désormais sur la terre, c'est que la mer n'a pas toujours occupé les mêmes étendues.

Ainsi se trouve déjà formulée la seule interprétation exacte : les fossiles sont des restes d'organismes ayant vécu dans des temps très anciens, dans des conditions très différentes.

Cependant, Aristote (IVe siècle av. J.-C.) voit les choses autrement. Admettant la génération spontanée, il explique que les fossiles sont produits par «exhalaisons sèches» s'élevant de la terre elle-même, hypothèse qui sera reprise tout au long du Moyen Age et persistera encore au-delà.

Les Latins Lucrèce, Horace, Ovide reprennent à leur compte les idées des Grecs. Mais déjà Pline l'Ancien, dans son *Histoire naturelle*, se laisse bien souvent séduire par la légende.

A l'aube de l'ère chrétienne, le géographe grec Strabon formulera la dernière explication vraisemblable sur la présence des fossiles au milieu des terres. C'est, dit-il, que le fond des continents n'est pas stable, «... un même fond tantôt se soulève et tantôt s'abaisse; la mer alors s'élève ou s'abaisse en même temps que ce fond; lorsqu'elle est soulevée, elle inonde les régions riveraines...» Le mouvement scientifique grec s'arrête avec lui, et la curiosité suscitée par les fossiles va peu à peu s'éteindre.

L'Occident médiéval, bouleversé par les invasions barbares, a bien d'autres préoccupations que les fossiles

Les écoles de l'Empire romain ont disparu. Seuls les futurs ecclésiastiques reçoivent un enseignement, très rudimentaire d'ailleurs. Les principaux foyers de vie culturelle sont les monastères, dont l'activité est toute entière tournée vers la religion.

Lorsqu'au XIIe siècle, avec le renouveau des villes, se manifeste une renaissance intellectuelle, la situation ne s'améliore guère pour les fossiles.

Les villes, dotées désormais d'écoles, deviennent des centres d'élaboration et de diffusion des idées. Les universités, corporations d'étudiants

Tout au long du Moyen Age, les textes des Anciens se diffusent par les manuscrits. L'histoire naturelle y a sa place, illustrée de façon fantaisiste par des miniatures (Pline à gauche; *le Livre des pierres*, ci-contre).

et de maîtres, apparaissent à la fin du XIIᵉ siècle et au début du XIIIᵉ. L'enseignement qu'on y diffuse s'appuie sur les autorités, l'Ecriture sainte et les Pères de l'Eglise. Il n'y a pas de science en dehors de la théologie. Toute explication de l'univers se réfère à la Bible, qui donne la cause et la chronologie de tous les événements : origine de l'univers, création du monde végétal et animal, peuplement de la Terre par les hommes.

L'université de Paris regroupe au XIIIᵉ siècle tous les enseignements qui se donnent alors et devient le premier centre universitaire européen. C'est une «école générale» où sont enseignées toutes les disciplines, profanes et religieuses. Elle comprend quatre facultés : théologie, médecine, décret (droit canonique, c'est-à-dire religieux) et arts. La faculté des arts correspond à peu près à notre enseignement secondaire actuel. On y enseigne les «sept arts libéraux», matières les unes traditionnelles, les autres nouvelles comme les sciences naturelles. Pas d'observation ni d'expérimentation, mais lecture et commentaire systématiques des textes des Anciens, en particulier d'Aristote. Sa *Météorologie* est l'ouvrage de référence pour les sciences de la nature.

S'écarter du dogme entraîne l'excommunication – une sanction qui met, dans les faits, le condamné à l'écart de la société. Il faudra plusieurs siècles pour arriver à séparer les études scientifiques des études théologiques.

Avec la Renaissance apparaît une élite cultivée qui se passionne pour les choses de la nature. Une vogue qui ira grandissant au cours des siècles

Les gens instruits, désormais, ne sont plus seulement des religieux mais aussi des laïcs. Les savants, qui peuvent être tout à la fois médecins, astronomes, mathématiciens, ingénieurs, et tâtent bien souvent de l'alchimie et de la magie – deux activités très rentables –, jouissent d'une considération certaine. Des mécènes les prennent sous leur protection, leur permettant de mener à bien leurs observations, leurs études et leurs réflexions sans soucis financiers. Ces savants font école. Ils ont, autour d'eux, des élèves, des disciples : ce sont les premiers amateurs, des gens qui voyagent, échangent des correspondances sur des questions de toutes sortes, colportent les nouvelles théories – l'invention de l'imprimerie et celle du papier de chiffon à bon marché datent de la fin du XVe siècle.

Les sciences de la nature jouissent d'un engouement extraordinaire. Les trouvailles «estranges» se multiplient. Apparaissent alors des collections remarquables... et remarquablement hétéroclites : les «cabinets de curiosité», dans lesquels les fossiles prennent place à côté des peintures, des sculptures, des cristaux et autres concrétions, des animaux naturalisés (bêtes étranges ou faux résultant de montages d'éléments hétéroclites) et des squelettes de toutes sortes. On appelle à cette époque fossiles tout ce qui est extrait du sol : vestiges organiques divers, pétrifications, minéraux et même des outils préhistoriques.

Les nobles s'enorgueillissent de posséder des cabinets de curiosités, auxquels ils consacrent une partie de leur fortune. En Allemagne et en Autriche, à la cour des Habsbourg, ce sont les princes et les rois qui collectionnent. La vogue est à son comble au XVIIIᵉ siècle. Rien qu'à Paris, on en dénombre 17 en 1742, 21 en 1757, et 60 en 1780. Le plus fameux est celui du richissime Joseph Bonnier de la Mosson, somptueusement présenté en son hôtel de Lude. Certaines de ces collections seront à l'origine des musées.

Durant le Moyen Age et la Renaissance, l'univers scientifique se confond facilement avec celui de la magie; la plupart des savants réputés pratiquent avec la même conviction l'alchimie et l'astrologie. Tout cela leur confère des pouvoirs mystérieux, et les personnages politiques réclament souvent leurs conseils.

On établit des catalogues de ces collections. Le premier recueil de fossiles paraît en 1561; le premier catalogue, celui d'une collection de fossiles de Saxe, est publié à Zurich en 1565, par Conrad Gesner. Une des plus belles collections est celle du pape Sixte-Quint, inventoriée par Michel Mercati, directeur du jardin botanique du Vatican. On y trouve tout à la fois des outils préhistoriques, des fossiles et une importante collection de minéraux. Cette *Metallotheca Vaticana* ne parut qu'en 1719.

Ulisse Aldrovandi, minéralogiste de Bologne, catalogue sa propre collection en 87 volumes manuscrits. Ce *Museum Metallicum* ne fut édité qu'en 1648; on y trouve des fossiles de vertébrés.

Au XVIIᵉ siècle, les premiers journaux scientifiques voient le jour un peu partout. En 1665, paraissent en France le *Journal des savants*, en Angleterre les *Philosophical Transactions*. Aux «ménageries» des cours royales succèdent de véritables jardins zoologiques. C'est le début de la vulgarisation scientifique dans les milieux lettrés. Les sciences vont désormais progresser grâce à la collaboration des savants, entre eux, d'une nation à l'autre et avec des amateurs, et grâce aussi à la diffusion des connaissances.

Conrad Gesner, né en 1516 à Zurich, se fait connaître par ses travaux de zoologie et de botanique. Dans son *De omni rerum fossilium*, il se livre à un classement de toutes sortes d'objets extraits du sol, qu'il nomme fossiles. Chacun trouve sa place dans un tiroir et dans un tableau correspondant (à gauche).

U lisse Aldrovandi (1522-1605), l'un des savants les plus brillants de la Renaissance italienne, a étudié les mathématiques, le latin, le droit, la philosophie et la médecine avant d'enseigner la logique et l'histoire naturelle à l'université de Bologne. Il connaît quelques démêlés avec l'Eglise, mais bénéficie du soutien du pape Grégoire XIII qui l'aide financièrement pour la publication de ses nombreux travaux d'histoire naturelle, dont son *Museum Metallicum*, qu'il illustre lui-même (ci-contre, le frontispice). Il fut aussi le fondateur du jardin botanique de Bologne.

Il est de bon ton, dans les milieux cultivés, de s'interroger sur l'origine des fossiles. Les explications les plus saugrenues sont encore avancées

La Renaissance, c'est aussi l'époque des mages, des astrologues. Et les esprits savants n'échappent pas à leur influence; on fait intervenir les astres ou des forces étranges, dont on ignore plus ou moins la nature, qui ont nom *vis plastica, succus lapidescens, materia pinguis*... Bref, on est

bien loin de ce que disaient certains Grecs: les fossiles n'ont plus aucune origine organique. On les croit parfois issus de minuscules semences qui auraient grandi et péri au sein de la terre. Jean-Baptiste Robinet y voit des «insuccès du Créateur», qui ne leur aurait pas donné vie : «La nature a appris à faire le corps humain» en produisant des fossiles en forme d'organes humains, soutient-il. Et il le prouve par de nombreuses illustrations.

Pour d'autres, ils ont été créés par Satan pour se mesurer vainement avec Dieu. Et pourquoi ne seraient-ils pas de simples «jeux de la nature», des *ludi naturae*, en quelque sorte des accidents curieux dus au hasard? Dans son *De rerum fossilium, lapidum et gemmerum figuris similitudinibus* (1565), illustré d'excellentes reproductions des

principaux fossiles connus à l'époque, Conrad Gesner dénombre les formes particulières que peuvent prendre les substances minérales, fossiles compris, qu'il nomme «pierres-figures».

Cependant, dès le Moyen Age, des esprits éclairés ont adopté une démarche rationnelle

Les Grecs ne sont pas tout à fait oubliés. Leurs manuscrits sont parvenus à l'Occident par l'intermédiaire des philosophes arabes, qui en ont entrepris la traduction. Aux alentours de l'an mil, le Persan Avicenne écrit un *Traité des minéraux* dans lequel il indique la nature réelle des fossiles.

Au XIIIe siècle, le dominicain Albert le Grand, évêque de Ratisbonne, qui a lu Avicenne et les Anciens (il les critique sur bien des points), reprend cette interprétation. A la même époque, le franciscain anglais Robert Bacon invite à la recherche et à la pratique des expériences, à la création d'une science neuve, libérée du poids des Anciens. Il passera quatorze ans en prison. On commence à discuter de théories sur la formation des montagnes et le dépôt des terrains sédimentaires.

Esprit universel, Léonard de Vinci, au XVIe siècle, s'intéresse, bien sûr, aux fossiles, qu'il interprète correctement, rejetant catégoriquement la génération spontanée. Il sera un des pionniers de la stratigraphie, l'étude des couches de terrain.

Un demi-siècle plus tard, Bernard Palissy, «potier de terre qui ne savait ni latin ni grec», recueille et observe coquilles et poissons pétrifiés. «J'ai fait plusieurs figures de coquilles pétrifiées qui se trouvent par milliers ès montagnes des Ardennes et non seulement des coquilles mais aussi des poissons… J'ai trouvé plus d'espèces de poissons et de coquilles pétrifiées que non pas de genres modernes qui habitent la mer océane.» Vers 1580, il soutient devant les docteurs de la Sorbonne – médusés d'indignation – que les fossiles n'étaient pas des jeux de la nature, mais des restes d'êtres vivants, niant lui aussi la génération spontanée. Palissy, génie incompris et huguenot convaincu, finira ses jours à la Bastille.

E xemple de pierre-figure, cette tige de lys de mer fossile (un échinoderme) est appelée «pierre stellaris», la pierre-étoile.

E nvers et contre tous, Bernard Palissy explique : «Avant que ces dites coquilles fussent pétrifiées, les poissons qui les ont formées étaient vivants dedans.» Médecins, chirurgiens, mathématiciens et une foule de curieux assistent à ses leçons.

Les coquilles et les poissons seront parmi les premiers à recevoir une interprétation correcte

Conrad Gesner, l'homme des «pierres-figures», avait noté la ressemblance entre les fameuses glossopètres et les dents de requin. En 1616, Fabio Colonna publie un traité dans lequel il démontre qu'il s'agit réellement de dents de requin trouvées souvent avec des coquilles de mollusques marins, qu'il identifie également comme des restes d'êtres vivants. Quelque cinquante ans plus tard, en Toscane, Nicolas Sténon (de son vrai nom Niels Stensen), un Danois qui a étudié l'anatomie à Copenhague, puis aux Pays-Bas et en France, et s'est rendu célèbre

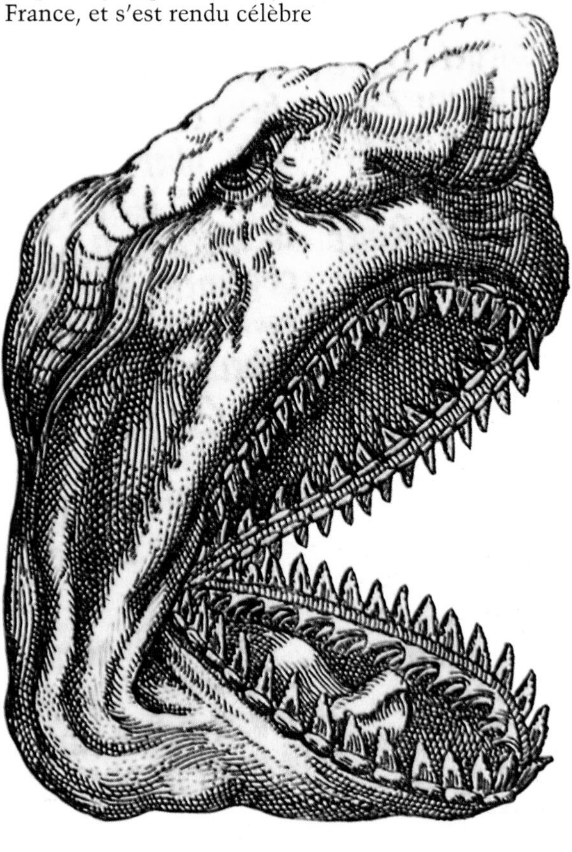

Il aura fallu bien du temps pour établir la relation entre les glossopètres (à droite) et la terrifiante mâchoire des squales (ci-contre). Enfin identifiées, elles ne perdent pas complètement leur aura de magie. Le philosophe Leibniz, tout en expliquant que leurs pouvoirs ont été exagérés, leur attribue des vertus particulières... pour les dents humaines.

par ses dissections, confirme ce diagnostic après avoir étudié un grand requin fraîchement pêché dans les eaux méditerranéennes. Sténon connaissait-il les travaux de Colonna? En tout cas, il n'en fait pas mention. Il démontre que, loin de pousser dans la pierre, les glossopètres ont été ensevelies dans une sorte de boue. Un élèvement du niveau de la terre explique pourquoi on les retrouve très au-dessus du niveau de la mer.

En 1665, Nicolas Sténon s'installe à Florence, où le grand-duc Ferdinand II de Médicis lui permet de poursuivre ses recherches dans l'un des hôpitaux de la ville. Et c'est sur ordre du grand-duc qu'on lui apporte la tête de requin à partir de laquelle il identifie les «pierres-langues».

Sténon énonce le principe élémentaire de la stratigraphie : un terrain est toujours plus jeune que celui au-dessus duquel il est déposé

Dès lors, l'interprétation des trouvailles fossiles pourra se faire selon une chronologie relativement rationnelle. Géologie et histoire des fossiles deviennent inséparables.

Peut-être parce qu'il lui était difficile de concilier ses découvertes scientifiques avec ses convictions religieuses, à quarante ans, Sténon, protestant converti au catholicisme après son arrivée en Toscane, abandonne ses activités scientifiques pour prendre l'habit de prêtre.

Les énormes requins, ou sélaciens, sont des poissons cartilagineux; c'est pourquoi on a rarement retrouvé d'éléments de squelette à l'état fossile. Leurs dents, en revanche, sont innombrables.

Ses interprétations déclenchent de vives discussions dans les milieux cultivés. D'autant qu'il entretenait de nombreux contacts avec les naturalistes hors d'Italie, en particulier avec ceux de la Royal Society de Londres.

«Discours véridique sur la vie, la mort et les os du géant Theutobochus, roi des Teutons, des Cimbres et des Ambrones»

Un jour de janvier 1613, dans une carrière de sable des environs de Romans, dans le Dauphiné, des ouvriers mettent au jour d'énormes os. Le marquis Nicolas de Langon, seigneur des lieux, consulte les experts de l'université de Montpellier. Verdict : ce sont des os humains, des os de géants. Verdict confirmé par les experts de Grenoble. Cette découverte va déclencher pendant quelques années une violente controverse parmi les savants.

GIGANTOLOGIE

HISTOIRE
DE LA GRANDEVR
DES GEANTS.

Où il est demonstré, que toute ancienneté les plus grands hommes, & Geants, n'ont esté plus hauts que ceux de ce temps.

Quis autem vestrum assiduè cogitans potest adjicere ad staturam suam cubitum unum? Matthei cap. 6.

A PARIS,
Chez ADRIAN PERIER, ruë Sainct Iacques.
M. DC. XVIII.

Certains émettent des doutes sur l'identité du «propriétaire» des os, affirmant qu'on est en présence des restes d'un animal énorme, un éléphant peut-être, ou un rhinocéros, ou encore une baleine. La polémique fait rage, tavelée d'attaques personnelles féroces, et prend bien souvent l'allure de règlements de comptes entre chirurgiens-barbiers, médecins, et autres anatomistes.

La *Gigantostéologie ou Discours des os d'un géant*, de Nicolas Habicot, chirurgien et anatomiste «progéant», suscite une *Gigantomachie pour répondre à la Gigantostéologie*, de Riolan, professeur d'anatomie et de botanique au collège royal de médecine, qui égratigne au passage la corporation des chirurgiens.

Et de *Gigantologie* en *Antigigantologie*, on se bagarre ainsi à coups de libelles et de pamphlets jusqu'en 1618. On ne sait pas très bien ce que sont devenus les os, mais la dent a été identifiée en 1984 comme celle d'un *Deinotherium giganteum*, une sorte d'éléphant.

Un dénommé Pierre Mazurier, barbier-chirurgien de son état, obtient du marquis de Langon quelques-uns des os gigantesques. Et, de ville en ville, il va présenter, contre monnaie sonnante et trébuchante, à un public avide de belles histoires terrifiantes, les restes de Theutobochus, roi des Teutons, des Cimbres et des Ambrones, chef d'une armée de quatre cents hommes, défaite par le consul romain Marius au terme d'un périple dévastateur en Gaule et dans la péninsule ibérique. Ces tribus germaniques ont effectivement fait trembler les populations deux siècles avant notre ère. Leur chef ne pouvait être qu'un géant. Et, pour appuyer ses dires, Mazurier affirme que des os longs de 7,5 m et qu'une dent de quelque 5 kg ont été trouvés dans une tombe portant le nom du géant inscrit en latin. Une inscription que personne ne verra jamais. Quelques-uns des os seront un temps exposés dans la chambre de la reine mère, Marie de Médicis, à Fontainebleau.

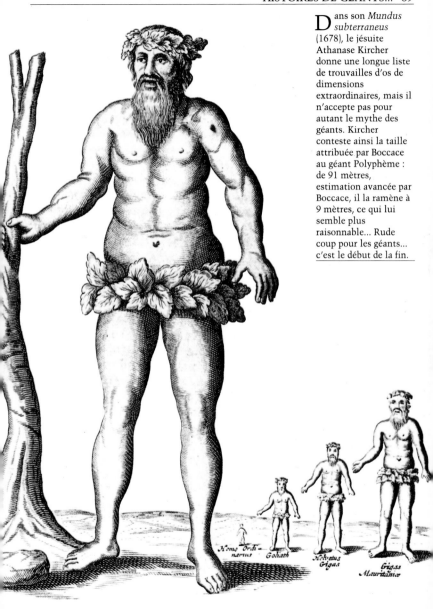

D ans son *Mundus subterraneus* (1678), le jésuite Athanase Kircher donne une longue liste de trouvailles d'os de dimensions extraordinaires, mais il n'accepte pas pour autant le mythe des géants. Kircher conteste ainsi la taille attribuée par Boccace au géant Polyphème : de 91 mètres, estimation avancée par Boccace, il la ramène à 9 mètres, ce qui lui semble plus raisonnable... Rude coup pour les géants... c'est le début de la fin.

Tab.I.a

Merveilles de la nature...

E ntre 1755 et 1778, Georg Wolfgang Knorr et Johan Emmanuel Walch publient à Nuremberg un important ouvrage en quatre volumes intitulé *Collection des merveilles de la nature et des antiquités de la Terre, comprenant les corps pétrifiés*. Le texte est, dans sa majorité, de Walch, tandis que les magnifiques planches en couleurs (à gauche, des ammonites, ci-contre, des gastéropodes) sont réalisées par Knorr lui-même, à la fois naturaliste et artiste. Knorr et Walch font d'intéressantes évaluations sur la durée des «catastrophes» qui ont bouleversé la surface du globe, et leur attribuent une ancienneté de plusieurs milliers d'années. Ils concluent que les fossiles ne sont pas tous contemporains, ce qui suppose différentes causes à leur origine, hypothèse très intéressante pour l'époque.

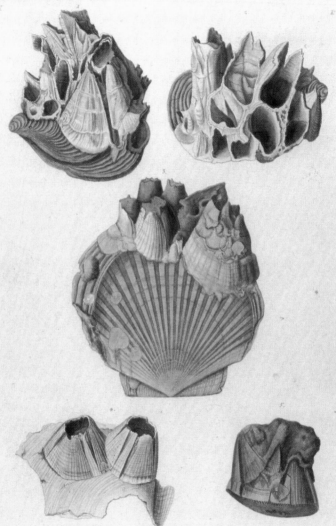

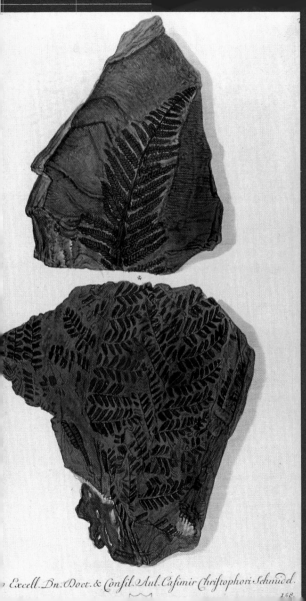

... Et antiquités de la Terre

L'ouvrage de Knorr et Walch est essentiellement descriptif. De nombreux fossiles de coquilles et d'invertébrés divers y sont décrits, ainsi que des végétaux et diverses sortes de «pétrifications». Mais peu d'«ostéolithes», comme on appelait alors les restes squelettiques des vertébrés, car ils les considéraient comme moins intéressants. A gauche, une planche de coquillages et de crustacés, dont des balanes, ci-contre, des empreintes de fougères fossiles.

Excell. Dn. Doct. & Consil. Aul. Casimir Christophori Schmidel.

158

L'âpreté des discussions révèle une chose : en ce début du XVIIe siècle, et pour quelque temps encore, face aux restes de grands vertébrés, si l'explication rationnelle progresse, la légende est tenace.

Cependant, les progrès des connaissances anatomiques font peu à peu reculer les géants

Les dissections et les descriptions d'animaux vivants, menées par des hommes comme Claude Perrault en France ou Tyson en Angleterre, font progresser l'ostéologie – la science des os – de nombreux vertébrés. En rapprochant ces os de ceux, fossiles, trouvés dans les carrières, on peut démontrer que ces derniers ne proviennent pas d'êtres humains géants, mais d'animaux. Ainsi, à Rome, en 1688, l'anatomiste Campani compare les ossements trouvés à Vitorchiano (Italie) avec les moulages du squelette d'un éléphant de la collection des Médicis de Florence. Il constate des ressemblances frappantes et en déduit que les os géants trouvés en Italie appartiennent à une sorte d'éléphant. Voilà dévoilée l'identité des Cyclopes de l'Etna.

D'où sont-ils venus, où sont-ils allés?

Progressivement, on admet dans les milieux savants que les fossiles ont été un jour vivants. Mais alors d'autres questions se posent. Comment les éléphants, population des climats tropicaux, avaient-ils bien pu arriver jusqu'à nos régions tempérées pour y mourir? Pourquoi certains fossiles n'avaient-ils pas d'équivalent dans le monde vivant (les ammonites, les bélemnites)?

Qu'étaient devenus ces animaux énormes dont on mettait de plus en plus souvent au jour des vestiges? S'agirait-il d'espèces disparues? Inconcevable! Cela impliquerait que la Création n'était pas parfaite. Que Dieu aurait permis à une partie de sa Création de disparaître.

Une conclusion en contradiction totale avec la doctrine chrétienne prévalant à l'époque.

Déjà, on cherche à reconstituer les animaux disparus. Mettant bout à bout des os de mammouth et, sans doute, de rhinocéros découverts en Allemagne en 1663, Otto von Guericke dessine un animal bizarre sans pattes arrière, flanqué au milieu du front d'une corne «longue de cinq aulnes». Le dessin sera publié par le philosophe Leibniz, dans son livre *Protogaea* (1749).

Nés ailleurs, ils ont été portés là où ils sont par des flots gigantesques, des flots d'une violence inouïe, les flots du Déluge

C'est une réponse communément admise au XVIIIᵉ siècle. L'idée n'était pas neuve. A la fin du XIIIᵉ siècle déjà, le moine italien Ristoro d'Arezzo soutenait que les coquilles trouvées dans les montagnes avaient été charriées jusque-là par le Déluge. Léonard de Vinci et Bernard Palissy avaient en leur temps combattu cette explication. Mais elle avait fait bien des adeptes et, au siècle des Lumières, elle a acquis une telle popularité que l'on peut véritablement parler d'une école du Déluge.

Des philosophes la reprennent, Leibniz en tête. A cela, une raison : cette hypothèse rendait acceptable l'origine organique des fossiles. Il ne faisait aucun doute que l'on découvrirait un jour leurs descendants disparus dans

❝ La grande inondation dura quarante jours sur la terre (...). Le niveau monta toujours plus, jusqu'à ce que les plus hautes montagnes qui existent soient entièrement recouvertes. L'eau monta finalement jusqu'à plus de sept mètres au-dessus des sommets. Tout ce qui vivait et se mouvait sur la terre périt : les oiseaux, le bétail, les animaux sauvages, les bestioles qui grouillent sur la terre et aussi les hommes. **❞**

Genèse, VII, 4

des contrées non encore explorées. Quant aux fossiles d'organismes marins, les ammonites par exemple, on suppose que l'on trouvera leur équivalent au fond des mers. S'ensuivent toutes sortes de spéculations sur l'histoire de la Terre, sur le Déluge lui-même.

Où les fossiles deviennent la preuve matérielle de la véracité des Ecritures

Parmi les plus ardents défenseurs de la théorie du Déluge figure le naturaliste suisse Johan Jacob Scheuchzer, l'un des premiers paléontologues de son temps. Appelant l'humour à la rescousse pour défendre ses positions, il présente dans un petit ouvrage illustré, *Pisci querelae et vindiciae*, les plaintes et complaintes des poissons fossiles, innocentes victimes du Déluge causé par le péché de l'homme. Cet homme qui veut, en plus, leur contester le statut d'êtres ayant vécu et les réduire à de simples formations minérales (le débat sur la nature des fossiles n'était, rappelons-le, pas clos). Et le pêcheur antédiluvien? Scheuchzer trouvera sa trace d'abord sous forme de deux vertèbres mises au jour à Altdorf. Vertèbres humaines certes, mais qui n'ont pas l'ancienneté que veut bien leur attribuer le naturaliste : elles ont été trouvées près du gibet de la ville! Toutefois, Scheuchzer s'inquiète de la rareté des restes humains. Faudrait-il douter? En 1725, il triomphe. On vient de découvrir ce qu'il pense être le squelette de l'«homme témoin du Déluge», l'*Homo diluvii testis*, reste

Auteur de nombreux travaux sur les fossiles, aussi bien végétaux qu'animaux, dont il affirme énergiquement l'origine organique, Johan Jacob Scheuchzer (1672-1733) contribue largement à répandre leur connaissance. Il entretient une correspondance abondante avec les savants de l'époque, entre autres Leibniz et le médecin anglais John Woodward, comme lui, partisans convaincus du Déluge. En 1731, il publie *Physica sacra*, une sorte d'exégèse scientifique de la Bible agrémentée de planches dessinées de fossiles, ces innocentes victimes du Déluge.

Melchior Fusslinus Tigur.   pinx.

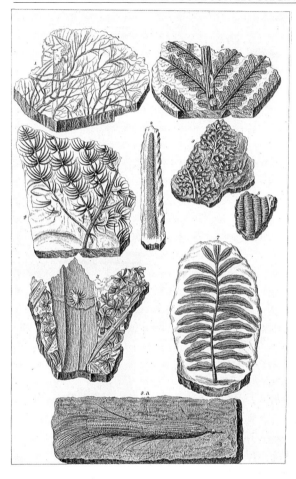

Son *Herbarium diluvarium* publié en 1709 est l'un des premiers travaux consacrés particulièrement aux végétaux fossiles; en effet, ces derniers tenaient une grande place dans les discussions sur le Déluge. De nombreux dessins reproduisent avec grand soin et exactitude des végétaux de l'époque houillère, principalement des fougères. Scheuchzer y reproduit également des insectes, des madréporaires, des ammonites (avec le détail des cloisons dentelées), mais aussi de simples dendrites, et enfin des «monstruosités naturelles» issues de son imagination débordante.

de la première race humaine maudite et engloutie dans les eaux, «lamentable témoin du Déluge et qui avait vu Dieu». Il y voit à la fois la preuve de la réalité du Déluge et une leçon de morale pour les pécheurs. Il a fallu attendre 1787 pour qu'on reconnaisse là un «lézard pétrifié»; Cuvier confirma en 1825 qu'il s'agissait d'«une salamandre aquatique, de taille gigantesque et d'espèce inconnue».

Kolm

Auf der Werch

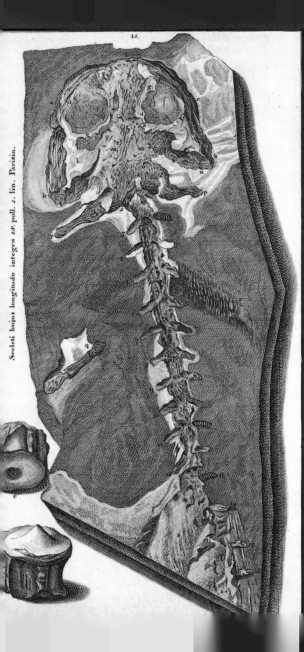

Sceleti hujus longitudo integra 2e. poll. 2. lin. Parisin.

15.

L'homme témoin du Déluge

L'étrange squelette long de 1,20 m que Scheuchzer baptisa *Homo diluvii testis* fut découvert en 1725 dans la carrière d'Œningen près du lac de Constance; le fossile était enfoui dans des couches de marne (argile calcaire) datant du Miocène. Appelé pour l'identifier, Scheuchzer n'eut aucun doute : c'était de toute évidence les restes d'un «homme témoin du Déluge». En 1731, il en publia une description méticuleuse, accompagnée de dessins, et conclut : «... la vérité du Déluge Universel, reconnue depuis de nombreux siècles, n'a jamais été plus manifeste que maintenant.» Le fossile, par la suite dûment identifié comme une salamandre géante, se trouve aujourd'hui au musée Teyler de Haarlem, en Hollande. Il a reçu le nom de *Andrias Scheuchzer*.

La création du monde

L a Terre était comme un grand vide, l'obscurité couvrait l'océan primitif, et le souffle de Dieu agitait la surface de l'eau. Dieu dit alors : «Que la lumière paraisse!» Et la lumière parut. Dieu constata alors que la lumière était une bonne chose, et il sépara la lumière de l'obscurité. Dieu nomma la lumière Jour, et l'obscurité Nuit. (...) Dieu dit encore : «Que les eaux qui sont au-dessous du ciel se rassemblent en un lieu unique pour que les continents paraissent». (...) Dieu dit alors : «Que la terre se couvre de verdure!» Et cela se réalisa. (...) Dieu dit encore : «Que les eaux grouillent d'une foule d'êtres vivants, et que les oiseaux s'envolent dans le ciel au-dessus de la terre!» (...) Dieu dit encore : «Que la Terre produise toutes les espèces de bêtes, animaux domestiques, petites bêtes et animaux sauvages!» Et cela se réalisa. (...) Dieu dit enfin : «Faisons les êtres humains : qu'ils nous ressemblent vraiment!» Et cela se réalisa.

Genèse, I, 2

Quel âge peuvent-ils bien avoir?

On cherche à savoir depuis quand les fossiles sont fossiles. Ce qui implique de donner un âge à la Terre. Selon la Genèse, la Création tout entière, ciel, terre, mer, végétaux, animaux et hommes avait duré six jours : «Le sixième jour, Dieu créa l'homme». Le Moyen Age s'en tiendra à cette affirmation. En 1650 l'archevêque irlandais James Hussher, après une savante analyse de la Bible, conclut que la Création avait eu lieu le 26 octobre 4 004 avant Jésus-Christ, date que les milieux religieux considèrent alors comme digne de foi. Johan Jacob Scheuchzer avance une autre estimation : le Déluge, et donc la mort des fossiles, daterait de 250 ans avant la construction de la grande pyramide d'Egypte.

Remontant plus loin dans le passé, le naturaliste Louis Bourguet estimera en 1729, après avoir examiné la sédimentation des terrains, qu'il s'était écoulé «seize siècles entre la Création et le Déluge». Ne sourions pas de ces tentatives; seize siècles représentaient, pour une connaissance encore balbutiante, une durée quasiment inimaginable. Et de toute façon, la Bible, peu ou pas contestée, imposait à l'histoire terrestre une chronologie étroite qui restreignait considérablement les hypothèses trop hardies.

Un énorme crâne aux mâchoires armées de terribles dents fut mis au jour en 1766 dans la montagne de Saint-Pierre, près de Maëstricht (Pays-Bas) et âprement disputé. Le Dr Hofmann, grand collectionneur de fossiles, qui présida aux travaux de dégagement, se vit sommer par la justice ecclésiastique de le rendre au propriétaire du terrain, le chanoine Godin.

Les doutes surgissent

A la fin du XVIIIᵉ siècle, si les fonds marins gardent tout leur mystère, les terres inconnues, derniers refuges des animaux disparus de nos régions, se font rares. En outre, certains naturalistes en arrivent à la conclusion que la plupart des grands vertébrés sont connus. Le Déluge pouvait expliquer la mort d'individus, leur disparition d'une partie du globe, tels les éléphants d'Europe, par exemple. Pas

l'extinction d'une espèce. On voit alors apparaître toutes sortes d'explications dans lesquelles n'intervient plus seulement le Déluge : gigantesques inondations (les «catastrophes» du XIXᵉ siècle), changement de climats terrestres

En 1795, les armées de la Révolution assiègent Maëstricht. Le naturaliste Faujas de Saint-Fond réclame l'animal. En vain. Godin l'a caché. On promet 600 bouteilles de bon vin à qui le rapportera. L'animal est retrouvé et envoyé à Paris. Les savants s'interrogent. Un cétacé? Non, un crocodile, affirment Hofmann et Faujas, qui, lui, explique : «Avant l'époque de bouleversement et de submersion quelconque qui ensevelit ces amphibies et les confondit pêle-mêle avec des coquilles, ils vivaient dans des temps antérieurs et beaucoup plus anciens et se propageaient dans des fleuves et des lacs, qui devaient exister nécessairement au milieu de grandes terres qui nourrissent des animaux de cette espèce.» Cuvier y

reconnaît un varan géant, qu'il nommera mosasaure, le «reptile de la Meuse».

(pour expliquer la présence d'ossements d'animaux vivant désormais dans des régions tropicales); ou encore extermination par l'homme, espèces temporairement introduites par l'homme, à l'instar des éléphants d'Hannibal, et mortes sur place, restes de sacrifices païens... Quant à Voltaire, le grand philosophe, il ne craint pas d'affirmer que les coquilles ont été déposées en haut des montagnes par des pèlerins en route pour Saint-Jacques-de-Compostelle.

Buffon a, le premier, l'intuition de l'immensité de l'histoire de la Terre

De longues périodes se sont écoulées avant l'apparition de l'homme, affirme Buffon, qui attribue à la Terre 75 000 ans d'existence. Adam et Eve seraient nés il y a 6 000 ou 8 000 ans seulement.

Bien sûr, il était encore très loin de la réalité, mais personne avant lui n'avait avancé de pareils chiffres. Il divise l'histoire de la Terre en six époques et explique que différentes formes de vie sont apparues, lorsque, peu à peu, les conditions l'ont permis.

La septième époque est celle où «la puissance de l'homme a fécondé celle de la nature».

Buffon ne nie pas le déluge, mais il pense que cet événement a eu peu d'influence sur l'histoire de la Terre.

Les changements intervenus à la surface du globe sont le résultat, non de catastrophes, mais de l'action de la mer et de l'érosion de l'eau courante.

Les fossiles, dit-il, sont les témoins des premiers âges de la Terre. Les êtres vivants qu'ils étaient

Nature puissante, travailleur acharné, Georges-Louis Leclerc, comte de Buffon (1707-1788), a étudié le droit, s'est intéressé à la médecine, à la géologie et aux mathématiques, et s'est beaucoup consacré à la botanique. Il a aussi voyagé en France, en Italie, en Angleterre... Maître de forges, il est en outre un habile homme d'affaires. En 1739, le ministre Maurepas, son ami, le nomme intendant du Jardin du Roi. Buffon se tourne alors résolument vers l'histoire naturelle. Il agrandit le jardin, enrichit les collections, et en fait un établissement de premier ordre. Entre 1749 et 1789 paraît son *Histoire naturelle* en 44 volumes. Les trois premiers, tirés en 1749 à 1 000 exemplaires, sont épuisés en six semaines. Un autre ouvrage, *les Epoques de la nature* (1771), expose ses idées novatrices sur l'histoire de notre planète. L'*Histoire naturelle* est avec la *Nouvelle Héloïse* de J.-J. Rousseau, le livre le plus lu du XVIIIᵉ siècle.

autrefois ont réellement vécu là où on a retrouvé leurs restes. Ce qui prouve que les régions froides ont été un jour chaudes. La constitution des animaux ne peut avoir changé au point de «donner à l'éléphant un tempérament de renne», écrit-il. Et la présence de grands mammifères fossiles dans de nombreux pays du nord implique que l'Europe, l'Asie et l'Amérique du Nord ont formé, il y a longtemps, un seul bloc.

En outre, Buffon affirme que certains groupes d'animaux sont exclusivement fossiles, n'ont pas de contreparties vivantes, et il imagine que ce sont les espèces les moins adaptées qui ont disparu.

Ces hardiesses déclenchent les foudres des théologiens de la Sorbonne, malgré les protestations d'innocence de l'intéressé, qui veut réconcilier les

Au XVIIIe siècle, il n'existe toujours pas de système pour classer les végétaux et les animaux. Et pourtant, les collections d'histoire naturelle sont de plus en plus riches de spécimens provenant de toutes les parties du monde, les échantillons les plus divers se côtoient sans ordre. Les fossiles sont souvent comparés aux êtres actuels, sans critères précis. Charles de Linné (1707-1778) définit dans son *Systema Naturae* (1735) la «nomenclature binominale», qui va permettre un classement indispensable à toute approche scientifique, et qui est toujours utilisée aujourd'hui. On retrouve ce même travail de mise en ordre dans la grande œuvre du XVIIIe siècle, l'*Encyclopédie* : le savoir humain s'élargit, on veut recenser tous les domaines de la connaissance.

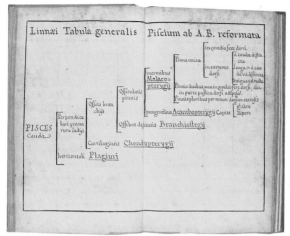

Linnæi Tabula generalis Piscium ab A.B. reformata

PISCES

L inné a défini et nommé de deux noms latins (genre et espèce) plusieurs dizaines de milliers d'individus animaux ou végétaux. Chaque individu reçoit désormais deux noms : un nom de genre, suivi du nom de son espèce particulière. Ainsi l'ordre des toucans, *Ramphastos*, compte 37 espèces, dont *Ramphastos cuvieri*, le toucan de Cuvier. Les formes disparues sont également regroupées en genres et espèces. Cette méthode de classification a reçu le nom de «systématique».

sciences naturelles et la théologie. Mais Buffon bénéficie du soutien du roi, ce qui lui évitera la condamnation de l'Eglise. Son œuvre, servie par un style magnifique, aura une influence énorme et fera de lui un remarquable vulgarisateur, l'un des premiers.

A la même époque, le naturaliste suédois Charles de Linné, précise les notions de «genre» et «d'espèce», qui permettent la «nomenclature binominale»

Chaque individu vivant ou ayant vécu reçoit un nom de genre, suivi d'un nom d'espèce – ce qui équivaudrait, respectivement, au nom patronymique et au prénom dans l'état civil d'un être humain –, principe qui est toujours utilisé aujourd'hui. Les critères choisis par Linné pour établir sa classification étaient utilisables pour tous les organismes sans exception, animaux et végétaux, qu'ils appartiennent à l'époque actuelle ou au passé. Dès lors, les fossiles pouvaient prendre place dans la classification générale des êtres organisés.

P aris, 1er pluviôse an IV. Un jeune homme s'apprête à donner une conférence devant les honorables membres de la Société philomatique. Le jeune homme s'appelle Georges Cuvier. Il est né à Montbéliard, il a 26 ans, il est à Paris depuis à peine six mois, mais son nom est connu de l'auditoire. Il a déjà derrière lui un passé de naturaliste...

CHAPITRE III
L'ÈRE DES SAVANTS

❝J'amasse des matériaux pour un futur grand anatomiste, et lorsque viendra celui-ci, je désire que l'on me reconnaisse le mérite de lui avoir préparé la voie ❞.
Georges Cuvier

L'histoire naturelle est sa passion. Adolescent, il croquait sur ses cahiers les animaux décrits par Buffon. Lorsqu'au terme de ses études secondaires – il a 15 ans –, le duc de Wurtemberg lui propose une bourse pour l'académie de Stuttgart, il choisit la section philosophie, qui implique une formation scientifique. Ensuite, à 19 ans, il aurait dû, logiquement, entrer dans l'administration allemande, si son père ne lui avait trouvé un poste de précepteur dans une riche famille protestante de Normandie, dans le pays de Caux. Episode déterminant. A ses moments de loisir, il collecte poissons et mollusques, qu'il dissèque, décrit et surtout compare, consignant dans son *Diarium zoologicum* ce qu'il observe. Dans le même temps, Paris gronde, la Bastille tombe, le peuple de France se soulève, les aristocrates émigrent, le roi intrigue, s'enfuit, est arrêté, guillotiné, la République est proclamée...

Cuvier est loin de tout cela. Pourtant, les événements vont l'aider. Pour échapper à la Terreur, l'abbé Tessier, un agronome de renom qui a ses entrées au Muséum (c'est ainsi que depuis 1793 on appelle le Jardin du Roi), revient chez lui, dans le pays, le pays de Caux. Il lit quelques pages du *Diarium zoologicum* et les porte immédiatement à la connaissance de ses amis du Muséum. Peu après, Lacépède baptise du nom de Cuvier une raie d'une espèce nouvelle que celui-ci a découverte.

«Venez à Paris jouer avec nous le rôle d'un autre Linné, d'un autre législateur de l'histoire naturelle», lui écrit en 1795 Etienne Geoffroy-Saint-Hilaire, professeur de zoologie au Muséum national d'histoire naturelle et créateur de la ménagerie du Jardin des Plantes. Cuvier arrive dans la capitale pendant l'été. On le charge bientôt de l'enseignement de l'anatomie des animaux au Muséum. En 1802, on lui confiera une chaire qu'il occupera jusqu'à sa mort. Mais revenons à la conférence du 6 décembre 1795 – ou plutôt du 1er pluviôse an IV.

D ans son *Diarium zoologicum*, son journal, Cuvier décrit et dessine les animaux qu'il observe.

Cuvier formule les principes de base de l'anatomie comparée : subordination et corrélation des organes

Ce que Cuvier va dire ce jour-là, il l'a déduit de ses recherches menées en Normandie sur des animaux vivants. Il ne se contente pas de l'étude isolée de chacun des spécimens en sa possesion, il procède à des comparaisons des êtres entre eux, plus riches d'enseignement. Il montre ainsi que l'organisation de certains organes vitaux a de nécessaires influences sur d'autres organes (subordination des organes) et que certains caractères se commandent l'un l'autre, alors que d'autres s'excluent l'un l'autre (corrélation des organes).

"Un caprice de cette nation de 92, qui allait si vite, a sauvé le Jardin du Roi. Quelques honnêtes gens se rencontrèrent, qui persuadèrent au peuple français que le Jardin du Roi était un grand dépôt d'herbes médicinales, où les malades venaient chercher la santé du corps. (...) On ajoutait que le laboratoire de chimie servirait à faire de la poudre. A ces causes, le Jardin du Roi fut sauvé de la proscription générale. (...) Aussi fit-on un décret qui ordonnait qu'à l'avenir le Jardin du Roi s'appellerait *Muséum d'histoire naturelle.* **"**

M. Boitard,
le Jardin des Plantes

E n 1802, la chaire d'anatomie des animaux, au Muséum, est vacante. Elle est immédiatement proposée au jeune Cuvier, qui enseignait déjà l'histoire naturelle à l'école centrale du Panthéon, puis au Collège de France. Le nouveau professeur fait donner à sa chaire le nom d'anatomie comparée.

Dans son *Discours sur les révolutions de la surface du globe,* publié pour la première fois en 1812, il précise ainsi ses conclusions : «Tout être organisé forme un ensemble, un système unique et clos, dont les parties se correspondent mutuellement et concourent à la même action définitive par une réaction réciproque. Aucune de ces parties ne peut changer sans que les autres changent aussi et, par conséquent, chacune d'elles, prise séparément, indique et donne toutes les autres.»

L'étude des fossiles conduit Cuvier à la paléontologie, la zoologie du passé

Dès le 1er février 1796, il lit à une séance de l'Institut un *Mémoire sur les espèces d'éléphants vivants et fossiles.* Après une étude anatomique détaillée des ossements trouvés en Europe, en Sibérie, en Amérique du Nord et du Sud, en Afrique et en Inde, il identifie l'*Elephas primigenius* ou «mammouth des Russes». Il conclut que les éléphants étaient originaires des contrées où l'on a retrouvé leurs ossements fossiles. Ils n'y ont pas été amenés par les hommes, comme on aurait pu le déduire d'après certaines références à l'Antiquité, comme les éléphants d'Hannibal. Leur disparition n'est pas due à un changement progressif de climat : elle a été subite. Quelle en a été la cause? Cuvier ne se prononce pas. En revanche, leur enfouissement résulte d'une inondation générale... Cuvier ne va pas plus loin sur ce chapitre.

Ce travail et une grande partie de ceux qui vont suivre seront regroupés en 1812 sous un même titre, *Recherches sur les ossements fossiles*, une œuvre qu'il développera au fil des ans.

Afin d'approfondir ses recherches, il s'efforce de regrouper le plus de matériel possible

Du matériel, il y en a au Muséum et dès son arrivée à Paris, il se plonge dans l'étude des innombrables

Toujours extraite du *Diarium zoologicum*, ci-dessus une salamandre, dessinée au cours d'une visite au British Museum.

ossements de toutes sortes entassés dans les resserres. Il y en a aussi dans les collines de Montmartre et de Ménilmontant, dont les Romains déjà extrayaient le gypse, la «pierre à plâtre», si utile dans la construction. Le gypse conserve bien les restes organiques. Cuvier s'attache, moyennant finances, la collaboration d'un ouvrier carrier, un certain Varin, qui lui apporte régulièrement ses découvertes.

Mais il veut étudier le plus grand nombre

66 Ses auditeurs étaient nombreux. Il assemblait autour de lui une jeunesse ardente, composée surtout d'étudiants en médecine, qui venaient s'instruire auprès de lui sur l'anatomie. Dans les intervalles de ses cours, il disséquait comme jadis en Normandie, et faisait monter ses pièces pour les conserver. 99
Louis Roule

possible de fossiles de vertébrés. Il réclame du matériel partout en Europe, et des informations. Il visite les cabinets dans lesquels les amateurs et les esprits savants des siècles précédents ont engrangé des trésors. Tous les jours, ici ou là, on met au jour des ossements. Il veut une description, des données. Il envoie une sorte de circulaire aux naturalistes de tous les pays pour demander des informations.

Comment une dent en dit long sur le personnage : la méthode de l'anatomie comparée permet de reconstituer les animaux disparus

Des principes de Cuvier, il découle que, si l'on possède une pièce essentielle de l'animal, les dents en particulier, on peut reconstituer le reste du corps. En effet, «si les intestins d'un animal sont organisés de manière à ne digérer que de la chair récente, il faut aussi que ses mâchoires soient construites pour dévorer une proie; ses griffes pour la saisir et la déchirer; ses dents pour la couper et la diviser; le système entier de ses organes du mouvement pour la poursuivre et pour l'atteindre;

❝ C'est sans doute une chose bien admirable que cette riche collection d'ossements d'animaux d'un ancien monde, rassemblée par la nature dans les carrières qui entourent notre ville, et comme réservée par elle pour l'instruction de l'âge présent. ❞

ses organes des sens pour l'apercevoir de loin; il faut même que la nature ait placé dans son cerveau l'instinct nécessaire pour savoir se cacher et tendre des pièges à ses victimes».

Un épisode illustre à merveille sa méthode. Un jour, alors qu'il fouille les gypses de Montmartre, apparaît une mâchoire de petite taille sur laquelle il reconnaît des dents de sarigue, un petit marsupial vivant aujourd'hui en Amérique. Hypothèse confirmée par les dents. Soucieux d'une certaine mise en scène, il invite plusieurs de ses collègues à assister au dégagement du reste du squelette. On doit, dit-il, trouver les os marsupiaux qui soutiennent la poche ventrale. Ce qui fut fait. Mieux que quiconque, il peut nous exprimer ce qu'il a éprouvé face à

La colline de Montmartre, à l'époque hors de Paris, est formée d'épaisses couches de gypse alternant avec des marnes. Elle est couverte de carrières et de fours à chaux. On y avait trouvé quelques fossiles, notamment, en 1783, une empreinte d'oiseau. Cuvier y entreprend des fouilles systématiques et découvre des restes d'herbivores aujourd'hui disparus, de carnivores, dont une sorte de hyène, ainsi que la fameuse «sarigue de Montmartre».

l'immense tâche à laquelle il était confronté : «J'étais dans le cas d'un homme à qui l'on avait donné pêle-mêle les débris mutilés et incomplets de quelques centaines de squelettes appartenant à vingt sortes d'animaux; il fallait que chaque os allât retrouver celui auquel il devait tenir, c'était presque une résurrection et je n'avais pas à ma disposition la trompette toute puissante; mais les lois immuables prescrites aux êtres vivants y suppléèrent et, à la voix de l'anatomie comparée, chaque os, chaque portion d'os reprit sa place. Je n'ai point d'expression pour peindre le plaisir que j'éprouvais.»

Convaincu que certaines espèces ont disparu à tout jamais, et appliquant systématiquement la même méthode, celle de l'anatomie comparée, Cuvier identifie des êtres qu'on n'aurait jamais imaginés quelques décennies auparavant, surtout des mammifères du Tertiaire ou du Quaternaire. Mais il y en eut d'autres.

❝ Il y a dans nos carrières des ossements d'un animal [la sarigue] dont le genre est aujourd'hui exclusivement propre à l'Amérique. (...) Les linéaments qui s'y trouvent imprimés sont si légers qu'il faut y regarder de bien près pour les saisir; et cependant, que ces linéaments sont précieux! Ils sont l'empreinte d'un animal dont nous ne retrouverons pas d'autres traces. (...) L'animal a été saisi à peu près dans sa position naturelle. ❞

❝ Aucun doute qu'il n'y ait eu (...) deux espèces de sauriens qui volaient au moyen d'une membrane soutenue par un seul des doigts de la main; qui se suspendaient (...) au moyen des trois autres doigts (...); qui se tenaient debout sur leurs pieds de derrière seulement, et dont la grande tête était fendue d'une énorme gueule armée de petites dents pointues, propres seulement à saisir des insectes et d'autres petits animaux... ❞

«Il reconstruit des mondes avec des os blanchis. Il réveille le néant»

Les découvertes de Cuvier suscitent un intérêt considérable chez ses contemporains. Même la littérature s'en mêle. Dans *la Peau de chagrin*, Balzac lui rend un hommage lyrique : «Vous êtes-vous jamais lancés dans l'immensité de l'espace et du temps en lisant les œuvres géologiques de Cuvier? Notre immortel naturaliste a reconstruit des mondes avec des os blanchis, a rebâti comme Cadmus des cités avec des dents, a repeuplé mille forêts de tous les mystères de la zoologie avec quelques fragments de houille, a retrouvé des populations de géants dans le pied d'un mammouth. Il réveille le néant (...). Soudain, les marbres s'animalisent, la mort se vivifie, le monde se déroule.» Cependant, si les milieux scientifiques adoptent généralement ses principes d'anatomie comparée, ils sont plus partagés sur son interprétation de l'histoire de la Terre.

C'est ainsi que Cuvier décrit le ptérodactyle, le reptile volant qu'il vient d'identifier à partir d'un squelette trouvé en Bavière.

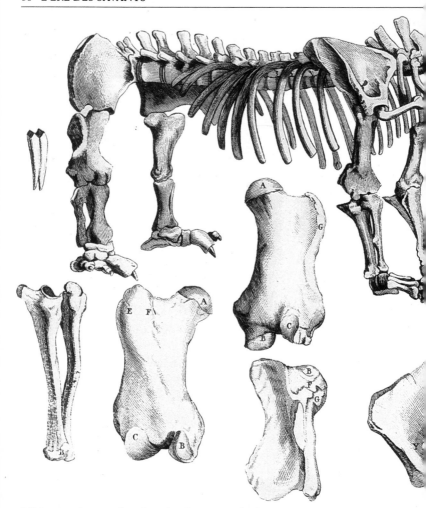

L'histoire du monde selon Cuvier : «révolutions» et «fixité des espèces»

Ses recherches sur les fossiles l'amènent à s'occuper de géologie, car il a besoin d'une méthode chronologique pour établir l'ordre de succession des êtres qu'il ressuscite. Avec la collaboration d'un

jeune géologue, Alexandre Brongniart, il étudie les terrains fossilifères du Bassin parisien. Pendant quatre ans, ils mesurent, relèvent des données, comparent... Il en résulte un *Essai minéralogique sur les environs de Paris*, agrémenté d'une carte en couleurs montrant sept strates : chacune de ces strates se différencie par ses caractères lithographiques et les fossiles qu'elle renferme. Les fossiles permettent d'établir une chronologie et de distinguer différentes étapes dans l'histoire de la Terre.

Différentes faunes sont apparues successivement, chacune remplaçant une autre précédemment apparue puis disparue, explique Cuvier. Comment s'opère le passage d'une étape à une autre, d'une faune à une autre? Cuvier avance son explication : «Qu'on se demande pourquoi l'on trouve tant de dépouilles d'animaux inconnus alors qu'on n'en trouve aucune dont on puisse dire qu'elle appartient aux espèces actuelles, et l'on verra combien il est probable qu'elles ont appartenu à des êtres détruits par quelque révolution du globe, à des

En 1788, un squelette géant, de la taille d'un éléphant, trouvé près de Buenos Aires avait été baptisé «animal du Paraguay», et envoyé en grande cérémonie au roi Charles III d'Espagne. Il fut aussitôt monté, et présenté dans une attitude se voulant naturelle. De nombreux dessins circulèrent dans toute l'Europe, et arrivèrent entre les mains de Cuvier. Il le baptisa *Megatherium americanum*, et, frappé par la ressemblance avec les paresseux, lui donna place dans ce groupe, qu'on appelle aujourd'hui les gravigrades.

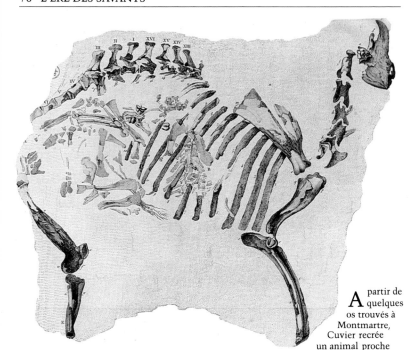

À partir de quelques os trouvés à Montmartre, Cuvier recrée un animal proche du tapir, qu'il nomme *Paleotherium*, et fait dessiner par son collaborateur, Laurillard. C'est le premier essai de reconstitution scientifique d'un animal disparu.

êtres dont ceux qui existent aujourd'hui ont pris la place.» Le terme est d'époque. La Révolution française a mis à bas un monde, l'Ancien Régime. Des révolutions ont détruit les mondes disparus. C'est le changement par la destruction, à la suite d'événements brutaux et soudains, le «catastrophisme».

Cuvier ne précise pas le mécanisme de ces révolutions. Mais il est évident, pour lui, que les êtres ne changent pas. Les animaux momifiés, notamment les ibis, rapportés d'Egypte par les expéditions de Bonaparte en apportent la preuve : ces morts, vieux de 5 000 ans, sont parfaitement semblables aux vivants actuels. Ils n'ont pas changé, ils ne se sont pas transformés. Les espèces sont fixes. Cinq mille ans, à l'époque, c'était un laps de temps considérable, suffisant, dit Cuvier, pour constater une transformation, s'il y en avait eu. Et puis, s'il y avait eu transformation des espèces, on aurait retrouvé des formes intermédiaires. Ce n'est pas le cas. Sur ces points, Cuvier se trompait. D'autres naturalistes après lui vont le montrer.

L es théories de l'évolution, ou «transformisme», de Lamarck, seront violemment combattues par le tout-puissant Cuvier.

Au fixisme de Cuvier, Jean-Baptiste de Monet, chevalier de Lamarck, oppose le transformisme

Médecin et botaniste de formation, Lamarck est nommé professeur de zoologie au Muséum d'histoire naturelle en 1793. Il va dès lors se consacrer aux invertébrés, dont il établit une classification en partie encore valable. Etudiant plus particulièrement les coquilles tertiaires des environs de Paris, il constate que certaines espèces existent encore : il y a donc continuité de la vie. D'autres sont un peu différentes : il y a eu transformation. Continuité de la vie et transformation : l'idée d'évolution est née. Idée qu'il expose dans sa *Philosophie zoologique* (1809). Un courant progressif conduit tous les êtres vivants vers de plus hauts niveaux d'organisation. La vie s'est déroulée sans interruption des origines à nos jours. Les espèces dérivent les unes des autres au cours des temps géologiques, aucune ne s'est éteinte. L'effort d'adaptation à l'environnement et aux changements de conditions de vie entraîne, explique Lamarck, des modifications de l'animal, qui se transmettent héréditairement (c'est l'hérédité des caractères acquis). Cela explique la diversification du monde vivant. Mais ces changements sont très lents, c'est pourquoi, dit-il, ils ne peuvent être décelés à l'échelle humaine.

De Jean-Baptiste de Monet, chevalier de Lamarck, l'avenir retiendra la grande idée d'évolution. Les mécanismes qu'il en propose sont beaucoup plus discutés.

JOURNAL

D'HISTOIRE NATURELLE;

Rédigé par MM. LAMARCK, BRUGUIÈRS, OLIVIER, HAÜY et PELLETIER.

TOME PREMIER.

PARIS.

de l'Imprimerie du Cercle ...tre-François, N°. 4.

1792.

...NE DE LA LIBERTÉ.

Solitaire et aveugle, Lamarck meurt en 1829; moins de vingt ans plus tard, son œuvre deviendra l'une des sources de réflexion de Darwin.

Fossiles des mers

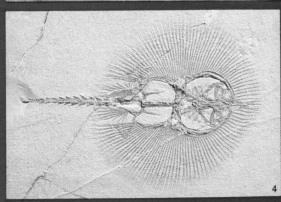

1 *Aeduella*, poisson
actinoptérygien du
terrain permien
d'Autun (Haute-Loire),
date de 220 millions
d'années. Les
actinoptérygiens, qui
représentent la majorité
des poissons actuels,
sont apparus dès le
Primaire; leurs écailles
épaisses et brillantes, se
sont parfaitement
conservées.

2 *Proteroctopus*,
poulpe fossile trouvé
dans des sédiments
jurassiques (-150
millions d'années) de
l'Ardèche, est le plus
ancien poulpe connu.
Une fossilisation
étonnante a conservé
l'empreinte des
viscères, des nageoires
et des ventouses.

3 Des sédiments
sableux formés de
débris d'organismes
marins, de fragments de
coquilles, qui
proviennent d'un
ancien golfe marin
allant jusqu'au Maine-
et-Loire (Miocène,
-20 millions d'années).
La photo, très grossie,
montre de petites
colonies de bryozoaires
ramifiés en éventail.

4 *Cyclobathis*, poisson
de la famille des
sélaciens, du Crétacé de
Sahel-Alma, au Liban
(-70 millions d'années).
L'empreinte arrondie de
la large nageoire est
visible tout autour du
corps.

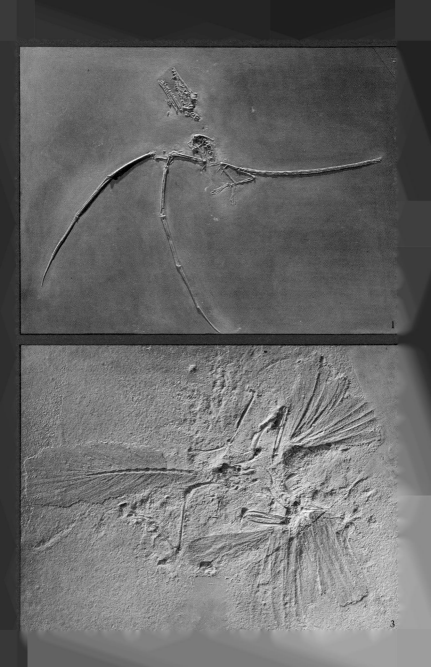

1

3

Fossiles des airs

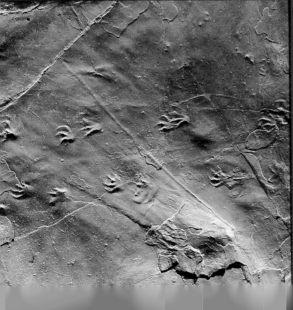

1 *Campylognathus*, reptile volant ou ptésaurien, découvert en Bavière, dans des schistes très fins datant du Jurassique (-135 millions d'années). Ses ailes immenses lui servaient uniquement à planer; carnassier, il se nourrissait de poissons qu'il happait en vol.

2 *Palaeortyx*, oiseau du gypse de Montmartre (Paris) datant de l'Eocène (-45 millions d'années). A cette époque le Bassin de Paris était couvert de lagunes où vivait une riche faune aquatique et terrestre.

3 *Archaeoptéryx*, le premier oiseau, trouvé dans le Jurassique (-150 millions d'années) de Bavière. Etre intermédiaire, il a encore des caractères de reptile (dents, griffes aux ailes, longue queue), mais de véritables ailes d'oiseau et des plumes, ici admirablement conservées.

4 Traces de pattes laissées à la surface de la vase de marécages existant au Permien (-220 millions d'années) dans la région de Lodève (Hérault). Elles ont été faites par de petits amphibiens primitifs, les stégocéphales.

Fossiles des terres

1 *Tarbosaurus*, dinosaurien du Crétacé de Mongolie (-80 millions d'années), était un carnivore, apparenté au tyrannosaure nord-américain. Le centre de la Mongolie est un véritable «cimetière» de vertébrés fossiles, fouillé régulièrement par des équipes internationales.

2 Crâne de *Smilodon*, du Pliocène du Brésil (-2,5 millions d'années); c'est le «tigre à dents de sabre» d'Amérique. Ses énormes canines supérieures faisaient office de dagues pour frapper ses proies. Son équivalent d'Europe est le *Machairodus*.

3 *Seymouria*, amphibien du Carbonifère du Texas, USA (-290 millions d'années), vivait dans les lagunes houillères. Celui-ci s'est fossilisé dans une attitude de marche sur le fond d'une vasière.

4 Crâne d'*Adapis magnus*, trouvé dans les phosphorites du Quercy (Eocène, -45 millions d'années). Les adapidés, exclusivement fossiles, font partie des primates, groupe auquel appartient l'homme lui-même.

Le géologue anglais Charles Lyell évalue l'âge des fossiles et de la Terre, non plus en milliers, mais en millions d'années

Reprenant les idées de Lamarck, il démontre dans ses *Principes de Géologie* (1833) que les transformations géologiques sont les résultats d'une lente évolution de la Terre, qui couvre des millions d'années. Il donne ainsi aux temps géologiques une nouvelle dimension, plus proche de celle qu'on leur attribue aujourd'hui.

L'étude des invertébrés conduit Alcide d'Orbigny à préciser la succession des terrains

D'un voyage en Amérique du Sud, il avait rapporté une quantité considérable d'observations et de matériel, dans les domaines les plus variés, de l'ethnologie à la géologie, notamment des fossiles,

L yell (ci-dessous, au centre, face à Darwin), pense que l'histoire de la Terre est soumise à des variations cycliques. Pourquoi, dès lors, dit-il dans ses *Principes de géologie*, ne pas imaginer que des espèces disparues réapparaissent ? On verrait ainsi un jour «des iguanodons dans les bois, des ichtyosaures dans les mers, des ptérodactyles dans les airs, volant au milieu des fougères arborescentes».

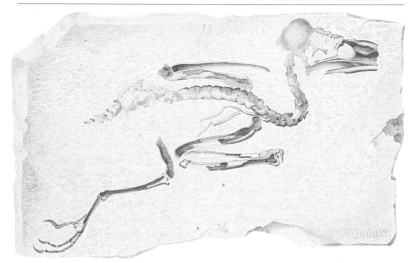

regroupant la première grande collection paléontologique d'Amérique du Sud.

Les fossiles invertébrés occuperont le reste de sa vie. Au Muséum, il reçoit des spécimens de toutes les parties du monde : sa collection comprend plus de 100 000 échantillons, et 18 000 espèces d'invertébrés sont décrites dans son *Prodrome de paléontologie stratigraphique.* On avait constaté avant lui que certains fossiles n'existaient que dans certaines couches d'un terrain. Systématisant cela, d'Orbigny détermine vingt-sept étages stratigraphiques (des subdivisions toujours reconnues) caractérisés chacun par des fossiles particuliers. Continuateur de Cuvier, il s'accroche au fixisme et identifie vingt-sept catastrophes, correspondant aux étages, dont la dernière est le Déluge.

Les végétaux trouvent leur place dans les études paléontologiques

Contemporain de d'Orbigny, Adolphe Brongniart, le fils d'Alexandre, se consacre à l'étude des végétaux, actuels d'abord, puis fossiles. Grand voyageur lui aussi, il

A lcide d'Orbigny publie en 1825 ses premiers travaux de paléontologie, qui lui valent une mission en Amérique du Sud. Il se consacre ensuite à la paléontologie stratigraphique. Dans son *Atlas*, il reproduit un fossile d'oiseau trouvé dans une carrière de Paris.

parcourt l'Europe, allant chercher sur place ses matériaux d'étude et rapportant des spécimens tout à fait originaux. Il découvre et décrit la flore du Primaire, identifiant de nombreux groupes aujourd'hui disparus.

Charles Darwin fait entrer l'idée d'évolution dans la pensée biologique

A partir de ses études sur les animaux vivants, le naturaliste anglais redécouvre l'idée d'évolution proposée par Lamarck et en explique le mécanisme par la sélection naturelle : seuls les animaux les mieux adaptés à leur milieu résistent et survivent. *De l'origine des espèces au moyen de la*

sélection naturelle ou la Lutte pour l'existence de la nature paraît en 1859. L'effet est immédiat : si certains dans les milieux scientifiques s'ouvrent à cette nouvelle théorie, elle déchaîne chez d'autres l'indignation, en particulier parmi les esprits religieux. En 1871, lorsque dans *la Descendance de l'Homme* il inclut l'homme dans le monde animal et le place près du singe, le tollé est à son comble.

L'œuvre de Darwin, qui suscita un mélange explosif de colère, de surprise et d'indignation, aura des conséquences considérables sur le plan religieux comme sur le plan scientifique. L'homme va pouvoir s'intégrer dans la nature et prendre sa véritable place biologique; on en retrouvera d'ailleurs les premiers fossiles dans la seconde moitié du siècle. Toute la pensée contemporaine, de même que toute la science moderne vont se trouver bouleversées par cette vision évolutionniste du monde.

Albert Gaudry appuie l'idée d'évolution sur des preuves paléontologiques

Darwin connaissait les fossiles, mais il ne s'y est guère attaché. Ils lui posaient en effet des problèmes qu'il ne pouvait résoudre : dans la succession des êtres disparus, il y avait trop de «chaînons manquants», trop de formes intermédiaires absentes. Albert Gaudry, étudiant les faunes fossiles découvertes à Pikermi (Grèce), en Auvergne et dans le Gers, y reconnaît des stades évolutifs intermédiaires.

Il en conclut que les formes anciennes sont les ancêtres des plus récentes, et que les êtres vivants se sont succédé en se reliant les uns aux autres sans solution de continuité.

En 1859, il prouve que les silex taillés récoltés par lui à Saint-Acheul, dans le Nord, sont contemporains de certains mammifères disparus, ce qui prouve de façon formelle l'ancienneté de l'homme, avancée déjà par Boucher de Perthes. La paléontologie confirme dès lors l'idée d'évolution.

THE
LONDON SKETCH BOOK.

PROF. DARWIN.

This is the ape of form.
Love's Labor Lost, act 5, scene 2.

Some four or five descents since.
All's Well that Ends Well, act 3, sc. 7.

E n appliquant la méthode avancée par Cuvier, des animaux de plus en plus bizarres et déroutants vont être reconstitués. C'est maintenant le tour des «lézards terribles», les dinosaures, ces géants qui, 160 millions d'années durant, furent les rois de la Terre, puis se perdirent à jamais.

CHAPITRE IV
LES ROIS DE LA PRÉHISTOIRE

L es Grands Dragons des mers : c'est le titre d'un ouvrage illustré par Thomas Hawkins, un collectionneur anglais quelque peu excentrique. En ce début du XIXe siècle, le combat de l'ichtyosaure (à droite) et du plésiosaure (à gauche) a de quoi alimenter les cauchemars d'une génération tourmentée.

Ce sont d'abord des reptiles marins du Jurassique que l'on identifie. On connaissait le mosasaure. En ce début de siècle, on fait connaissance avec le «poisson-lézard», *Ichtyosaurus*, et le «voisin du lézard», *Plesiosaurus*. Ces créatures des mers donnent lieu à des reconstitutions épiques, dans le goût romantique de l'époque. Un classique du genre : le combat de l'ichtyosaure et du plésiosaure dans un océan déchaîné, brossé par Thomas Hawkins.

En 1824, le révérend William Buckland publie l'acte de baptême du premier «terrible lézard»

Personnage haut en couleur, Buckland est un remarquable scientifique. Partant d'un fragment de mâchoire inférieure, de quelques vertèbres, d'un morceau de bassin et d'omoplate et de plusieurs os de membres postérieurs, il décrit, dans un article intitulé «Notice sur le *Megalosaurus*, ou grand lézard fossile de Stonesfield», un animal présentant certains caractères du lézard et d'autres du crocodile, mais qui n'est, il en est sûr, ni un lézard, ni un crocodile. Un animal dont les dimensions l'étonnent, comparées à la taille ordinaire des sauriens : «Une longueur de plus de 40 pieds (12 m) et un volume égal à celui d'un éléphant de 7 pieds de haut (plus de 2 m) ont été assignés par Cuvier à l'individu...» Bref, un reptile comme on n'en avait encore jamais imaginé...

Désormais, les reptiles terrestres occupent le devant de la scène : un an plus tard, Gideon Algernon Mantell décrit l'iguanodon

Bourreau de travail, dès qu'il en a fini avec ses patients – il est médecin –, il se penche sur les ossements qui envahissent sa maison de Lewes. Souvent appelé en consultation, il va d'un client à l'autre en tilbury, l'œil rivé sur le bas-côté, à l'affût de fossiles.

En 1822, au cours d'une de ses visites, sa femme qui l'attend dehors a le regard attiré par quelque chose de brillant dans un tas de pierres

Cherchant inlassablement à prouver que les fossiles sont le résultat du Déluge, Buckland interprète en ce sens toutes ses découvertes. Ainsi trouvant, en 1823, un squelette de rhinocéros intégralement conservé à côté d'os fossiles de cerfs et de bovidés, il explique que l'animal a été charrié par les eaux diluviennes dans un gouffre, que la boue et les cailloux ont ensuite comblé.

laissé là par les cantonniers. Elle ramasse la pierre. Un geste dont elle ne pouvait mesurer les conséquences. La pierre contient une dent fossile. Mary Ann Mantell vient de découvrir la première pièce du futur iguanodon. Mais quinze ans plus tard, traînant ses quatre enfants derrière elle, elle quittera un époux atteint, disons, de «reptilomanie obsessionnelle».

Intrigué par cette dent peu commune, Mantell veut en savoir plus. Aidé par des carriers auxquels il donne de bonnes récompenses, il trouve des os qu'il attribue à un «reptile herbivore colossal inconnu». Il va le dire devant la Geological Society de Londres. Seul contre tous, Mantell ne se décourage pas. Il sait qu'il a raison. Il sait qu'il a trouvé les fragments d'un reptile.

M antell, médecin dans la petite ville de Lewes, avait fait de sa maison un véritable musée de paléontologie, fruit de ses collectes personnelles. En 1833, il s'établit à Brighton, la grande station balnéaire à la mode, toute proche, et installe famille et fossiles dans une grande maison. Le «musée» sera vendu au British Museum, pour 4 000 livres, l'année même où paraît son livre, *les Merveilles de la géologie*. Devenu ainsi «orphelin» de ses fossiles, Mantell, le découvreur de dinosaures, finit tristement sa vie à Londres. Sur sa maison de Lewes, on peut voir aujourd'hui une plaque : «Il découvrit l'iguanodon».

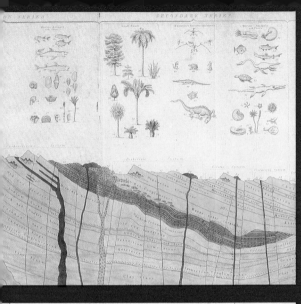

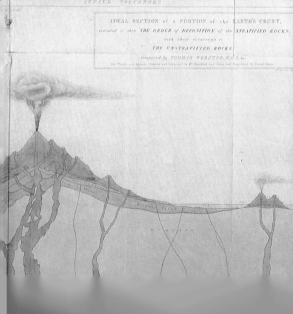

La terre en coupe

William Buckland, homme de science passionné par les fossiles, n'oublie jamais sa première vocation, le service de Dieu. Dans un ouvrage de géologie et de minéralogie, *The Bridgewater treatise*, ainsi intitulé en référence au comte de Bridgewater, qui l'avait financé, il rend hommage «à la puissance, à la sagesse et à la bonté de Dieu, telles qu'elles se manifestent dans la Création». Ces planches représentent une «portion de la croûte terrestre»; plantes et animaux y ont été placés en correspondance avec les couches géologiques. L'illustration est magnifique, l'explication encore simpliste.

1. Plésie *Serène*.

Les dragons des mers

Avec la découverte des ichtyosaures (en haut de l'image) et des plésiosaures (en bas), les premiers reptiles marins connus, les dragons reviennent en force dans la littérature.

❝ Le combat s'engage à cent toises du radeau. Nous voyons distinctement les deux monstres aux prises. (...)
«Oui! le premier de ces monstres a le museau d'un marsouin, la tête d'un lézard, les dents d'un crocodile, et voilà ce qui nous a trompés. C'est le plus redoutable des reptiles antédiluviens, l'ichtyosaurus!
- Et l'autre?
- L'autre, c'est un serpent caché dans la carapace d'une tortue, le terrible ennemi du premier, le plesiosaurus!»
Hans a dit vrai. (...) J'ai devant les yeux deux reptiles des océans primitifs. ❞

Jules Verne,
*Voyage au centre
de la Terre*

Poursuivant son travail de paléontologue-détective, il prend ses os et sa dent et se rend au Hunterian Museum du Royal College of Surgeons de Londres, où l'on trouve à l'époque tout ce qui existe sur l'anatomie animale. Il épluche les uns après les autres les dessins d'os et de dents de reptile. Rien. Rien de comparable avec ce qu'il a entre les mains. A tout hasard, Mantell montre ses trésors à Samuel Stuchbury, présent sur les lieux. Chance inouïe. Celui-ci travaille sur l'iguane, un lézard d'Amérique centrale. Il court en chercher le squelette. La même dent, en plus petit! La pièce à conviction! Mantell ne s'était pas trompé sur l'identité du propriétaire.

En 1825, Gideon Algernon Mantell publie dans la revue *Philosophical Transactions* une «Notice sur l'iguanodon, un reptile fossile nouvellement découvert, dans les grès de Tilgate Forest, dans le Sussex». Il aura fallu trois ans de travail, de discussions cordiales mais serrées, pour résoudre l'énigme. Cuvier, Buckland et les autres se rangeront à cette opinion.

Neuf ans plus tard, en 1834, dans les carrières de grès de Maidstone, dans le Kent, est mise au jour une importante partie d'un squelette disloqué de jeune iguanodon. Mantell réajustera alors la reconstitution de sa créature. En 1825, il en avait fait un sosie de l'iguane, avec une petite corne sur le museau. En 1851, il pense que, «différent du reste de sa classe, l'iguanodon a le corps supporté comme chez les mammifères, et l'abdomen suspendu plus loin du sol que chez tous les sauriens existants.»

Richard Owen est né à Lancaster (Angleterre) en 1804. Après des études de médecine, il oriente toute son activité vers l'anatomie, et est nommé professeur en 1836. Il publie un nombre considérable de travaux, et devient le chef de file de la science en Grande-Bretagne. C'est un ami personnel de la reine Victoria.

En 1841, devant l'Association britannique pour l'avancement de la science, Richard Owen propose un nom pour regrouper les reptiles terrestres fossiles : dinosaures

D'autres découvertes ont suivi celles de Mantell et de Buckland. En 1841, au total, neuf genres de reptiles du Mésozoïque ont été décrits, dont deux par Owen lui-même.

En comparant ces reptiles fossiles aux vivants,

En 1841, il décrit deux reptiles fossiles du Trias et du Jurassique, puis propose, au cours d'un congrès à Plymouth, le nom de «dinosaure» pour tous ces étranges fossiles. Le terme est publié pour la première fois en 1842.

dont il connaît parfaitement l'anatomie, Richard Owen parvient à la conclusion qu'on ne peut pas les ranger dans les mêmes familles ni dans les mêmes ordres que les reptiles modernes. Ce ne sont pas des crocodiles anciens, ni des lézards anciens, ce sont d'autres reptiles, présentant des caractères anatomiques particuliers. Ils appartiennent à un large groupe depuis longtemps disparu de la Terre, celui des *Dinosauria*, du grec *deinos*, terrible, et *sauros*, lézard (dans le sens de reptile, mot qui n'existe pas en grec). Un nouveau pas est franchi dans la compréhension du passé. Plus tard, on affinera l'ordre défini par Owen, en le subdivisant.

Crystal Palace : pour redonner vie aux disparus

De quoi pouvaient avoir l'air tous ces animaux, une fois habillés de muscle et de peau ? Jusqu'alors, on n'avait osé que des reconstitutions de squelettes. Au milieu du siècle, Owen, qui est désormais une éminence de la science britannique, est chargé de ressusciter en trois dimensions et en grandeur réelle les grands fossiles.

Projet qui aboutit en 1854 avec l'ouverture à Sydenham, dans la banlieue de Londres, du Crystal Palace : un grand parc dans lequel on se promène parmi les dinosaures, les ichtyosaures, les plésiosaures... et toutes sortes de mammifères ou crocodiles nés de l'imagination d'Owen et du sculpteur Waterhouse Hawkins.

Peu avant l'ouverture du parc, pour fêter l'événement,

Les invitations lancées par Hawkins pour le 31 décembre 1853 étaient en forme d'aile de ptérodactyle, ornées d'une gravure de l'iguanodon avec la table dressée dans son ventre.

l'iguanodon avait été l'hôte d'un dîner peu commun. Une table avait été dressée à l'intérieur de l'animal, Owen trônant au haut-bout, dans la tête de l'animal, tandis que Waterhouse Hawkins et une vingtaine de convives prenaient place dans les flancs.

On le sait maintenant, ces reconstitutions sont toutes fausses. L'iguanodon, par exemple, est un bipède classique aux solides pattes arrières. Il a des «bras» trapus, prolongés par des mains, avec un pouce en pointe – la corne qu'Owen lui avait plantée au bout du nez.

Cela, on l'apprendra après la découverte du gisement de Bernissart. Jusque-là, on n'avait, de l'iguanodon comme de tous ses semblables, dinosaures ou autres, que des fragments de squelettes, ce qui rendait bien difficile leur résurrection.

L' exposition du Crystal Palace, en 1851, eut un tel succès que le bâtiment fut reconstruit trois ans plus tard dans la banlieue de Londres, et qu'un parc fut créé autour, pour reconstituer la faune ancienne de l'Angleterre. Waterhouse Hawkins, peintre et sculpteur, réalisa ces dinosaures sous la direction de Richard Owen.

Un gisement exceptionnel : Bernissart

Personne n'avait prêté attention aux fossiles mis au jour en 1877 dans les mines de charbon de Bernissart, en Belgique. Et ce n'est qu'après l'avoir presque complètement détruit que, l'année suivante, les mineurs s'aperçurent qu'ils venaient de frayer leur chemin dans le squelette d'un gros animal, à plus de 300 mètres de profondeur. Procédure désormais classique, les ouvriers informent le directeur de la mine, qui transmet l'information à l'Institut royal des sciences de Bruxelles, lequel dépêche sur les lieux un éminent paléontologue, le Dr P. J. van Benden. Celui-ci reconnaît dans les os des restes d'iguanodon, de très nombreux iguanodons. Un gisement comme on n'en a jamais vu.

Il n'y aura pas d'autre Bernissart en Europe, ni même dans le monde. Le Vieux Continent recèle peut-être des gisements d'égale importance, et pas seulement pour les dinosaures, mais l'urbanisation y rend les recherches difficiles. L'activité économique, qui a aidé la paléontologie, lui a également nui. Chaque fois que l'on ouvre le sol – pour les mines et les carrières, pour les grands travaux d'aménagement, le chemin de fer, la construction –, on a des chances de mettre au jour des vestiges du passé. Mais si l'on ne prend pas garde, on détruit ces traces de vie ancienne. Et c'est ce qui arrive bien souvent. Il n'y a pas toujours, dans la mine, dans la carrière, un ouvrier averti qui prévient un chef, un chef averti qui prévient un paléontologue de sa connaissance, une institution scientifique... ou même un amateur. Enfin, les engins modernes, qui arrachent d'un coup d'énormes masses, ne laissent plus le temps de dépister les fossiles.

Le gisement de Bernissart a livré dix squelettes entiers d'iguanodon et de nombreux autres incomplets. Pourquoi ces animaux ont-ils péri tous ensemble ? Les iguanodons, énormes herbivores, vivaient en troupeaux dans cette région qui, il y a 120 millions d'années, était une zone marécageuse, au climat humide et chaud. Ont-ils fui devant un danger et se sont-ils enlisés dans une zone mouvante ? Ou sont-ils, à une saison plus sèche, partis à la recherche d'eau jusqu'à des rives instables où ils se sont envasés ? On ne peut répondre.

Après la découverte, on remonte les squelettes, exposés aujourd'hui à l'Institut royal de Bruxelles.

L e temps des monstres imaginaires est passé. La réalité est plus folle encore que les rêves, les dinosaures plus grands que les plus grands des géants. Peu à peu, plongeant toujours plus loin dans l'inconnu, la paléontologie lève les dernières énigmes. Dans cette course aux mystères, tous sont au départ, les curieux comme les savants.

CHAPITRE V
AMATEURS ET PROFESSIONNELS

A u service de la paléontologie, l'ouvrier et l'artiste. Le mineur, qui, au fond d'un puits, retrouve les vieilles forêts ensevelies, l'artiste – ici Charles Knight –, qui redonne vie aux animaux disparus.

Un amateur, au sens littéral, c'est une personne qui aime, qui a du goût pour certaine chose. Par définition, l'amateur ne fait pas profession de ce qu'il cultive. Des amateurs, la paléontologie du XIXe siècle en a connu légion. Certes, les siècles passés en avaient aussi leur lot. Mais l'amateur alors était différent. On aimait les fossiles, comme on aimait toutes les choses de la nature. On avait l'esprit curieux de tout – ce que reflètent si bien les cabinets de curiosité. On glosait sur les fossiles comme sur tout sujet qui se présentait à l'esprit humain, souvent par goût de la spéculation philosophique. Le XIXe siècle voit surgir des gens qui font de la paléontologie leur passe-temps, et leur seul passe-temps; qui occupent leurs moments de loisir à chasser le fossile et à l'étudier, à l'interpréter. Leur contribution au développement de cette science nouvelle est de première importance.

Des amateurs de génie

Les plus grands noms de la paléontologie du siècle dernier n'étaient pas tous des paléontologues professionnels, tant s'en faut. Mantell était, et restera, médecin; Hermann von Meyer, fondateur d'une des premières revues consacrées uniquement à la paléontologie – *Palaeontographia* – et figure marquante en matière de reptiles fossiles, gagne sa vie dans l'administration financière du parlement

Un trésor caché dans un champ... c'est ce que découvre un beau jour Mr Tidwell, un fermier des environs de Dallas (Texas). Univers impitoyable, le Dallas d'il y a 100 millions d'années voyait s'affronter des plésiosaures... La paléontologie doit beaucoup au hasard. D'où le rôle immense des amateurs, et son corollaire, le danger d'un pillage inconsidéré des gisements.

Les caricaturistes prennent le relais. Savants et fossiles occupent la une des journaux anglais.

allemand dont il deviendra le directeur; pour préserver son indépendance, il refuse même en 1860 un poste de professeur à l'université de Göttingen.

L'Eglise contribuera, elle aussi, à grossir les bataillons de la «science de l'ancien». Citons le révérend Buckland, une fois encore, ou l'abbé Croizet, vicaire d'un petit village du Massif central qui, en plus de ses ouailles s'est préoccupé des fossiles de sa paroisse. Les «animaux de pierre» restaient pour lui une preuve de la toujours actuelle Genèse.

Et même parmi les scientifiques, nombre de ceux qui ont occupé des postes dans la «paléontologie officielle» – les chaires d'université, les départements de musées... – ont commencé comme amateurs.

Le Français Edouard Lartet, l'un des pionniers de la fouille systématique des gisements fossilifères et de la paléontologie humaine, nommé en 1869 professeur de paléontologie au Muséum national d'histoire naturelle de Paris, était entré dans la vie active comme homme de loi. Une profession sans liens apparents avec l'étude des organismes vivant autrefois, et pourtant... c'est pour le remercier d'un conseil juridique qu'un fermier lui offre un jour la dent fossile qui devait faire naître sa vocation.

En 1873, on découvrit à Durfort, dans le Gard, un squelette complet d'*Elephas meridionalis*. L'animal s'était embourbé debout dans un marécage, il y a un million d'années. Le dégagement fut très délicat. On dut consolider les os au fur et à mesure. Il est exposé maintenant au Muséum d'histoire naturelle de Paris. Plus ancien que le mammouth, plus grand aussi; sans fourrure, il vivait sous un climat chaud.

«Les Andes, par leurs immenses déchirures, sollicitent le naturaliste à fouiller les entrailles du globe»: la chasse aux fossiles lointains commence

Certains paléontologues, comme Owen, le baron Nopcsa ou Othniel Marsh, ne travaillent qu'en laboratoire, décrivant, analysant, interprétant du matériel que d'autres ont récolté. Mais nombre d'entre eux éprouvent un véritable plaisir à fouiller eux-mêmes : Mantell dans son Angleterre natale, Cope aux Etats-Unis, Gaudry en Grèce, d'Orbigny en Amérique du Sud...

Plaisir qu'ils partagent avec une foule de chasseurs amateurs et qui donne aux uns et aux autres la force de s'improviser mineurs et de creuser à des dizaines de pieds sous terre, ou de marteler et de gratter le sol et les roches durant des heures et des heures sous le soleil ou les pluies diluviennes. De parcourir des kilomètres sur des chemins qui n'en sont pas. De monter, descendre, monter, descendre... inlassablement. Bref, de mener une vie d'ouvrier terrassier autant que de savant en costume et col dur.

Amateurs et paléontologues professionnels ont leurs informateurs dans les carrières, dans les

Premier paléontologue à aller lui-même fouiller en terre lointaine, Alcide d'Orbigny s'embarque à 24 ans pour l'Amérique du Sud. Un voyage de huit ans, de l'Amazonie à la Patagonie, de l'Atlantique au Pacifique, au milieu des périls les plus divers. Il en rapportera une somme extraordinaire de documents géologiques, naturalistes et ethnologiques. Plus tard, en 1853, c'est pour lui que sera créée la chaire de paléontologie du Muséum national d'histoire naturelle de Paris.

mines : des ouvriers qui les préviennent de toute découverte. Le rôle de ces gens qui, par leur activité professionnelle, sont toujours sur le terrain, a été et reste essentiel. On leur doit un nombre incalculable de découvertes : le Grand Animal de Maëstricht, les iguanodons de Bernissart et tant d'autres.

Où surgissent les marchands

Les amateurs ne sont pas toujours désintéressés. Objet d'un intérêt sans cesse croissant, les fossiles alimentent tout un commerce. Musées et paléontologues recherchent du matériel d'étude, toujours plus. Les riverains des gisements fossilifères ont bien vite compris qu'ils pouvaient en tirer de substantiels revenus. Il y avait une clientèle, il y aura des marchands.

Le premier fossile d'*Archaeopteryx*, découvert en 1860 dans une carrière de Solnhofen, en Bavière, fut vendu 700 livres par son possesseur au British Museum. Un second squelette, trouvé en 1877, fut d'abord acquis 140 marks par un particulier qui le revendit presque aussitôt, étant donné sa rareté, 20 000 marks au Muséum Humboldt de l'université de Berlin!

L'exemple le plus célèbre est celui de la famille Anning, de Lyme Regis, sur la côte sud-ouest de l'Angleterre, une région riche en reptiles marins du secondaire. Déjà, à la fin du XVIIᵉ siècle, Richard Anning, le père, arrondissait ses fins de mois en vendant ses trouvailles aux visiteurs. Après sa mort, ses enfants, Joseph et Mary, et leur petit chien systématisent le commerce familial. La côte en cet endroit est une falaise, laissant à nu les différentes couches de terrain. Régulièrement, et surtout après les tempêtes qui font ébouler une partie du sol, Mary se promène accompagnée de son chien le long de la falaise, dans le but de repérer les fossiles. La récolte est ensuite vendue aux ducs, barons et autres lords anglais qui – mode oblige – se piquent de paléontologie, avant d'aboutir, généralement par legs ou donation, dans les collections du British Museum.

Mary et son chien sont de remarquables découvreurs. On leur

Mary Anning sillonnait les côtes de Lyme Regis, à la recherche de fossiles. Lorsqu'elle en avait trouvé, elle laissait son chien pour marquer l'endroit, et revenait peu après avec des renforts afin de dégager les ossements. Martyre de la science, la pauvre bête mourra écrasée sous un éboulement!

Menu du «Dîner du Diplodocus» servi dans la grande galerie de paléontologie du Muséum de Paris, le jour de l'inauguration, le 15 juin 1908 : Hors-d'œuvre paléontologiques – Soles oligocènes d'Aix – Selle d'Entelodon sauce Perrier – Bombe volcanique – Desserts.

doit le premier squelette identifié comme celui d'un ichtyosaure, acheté pour 23 livres par sir Edward Home. L'animal gagne en célébrité, les prix grimpent. Quatre ans plus tard, un autre spécimen est attribué dans une vente aux enchères à plus de 150 livres. Pour le même prix, le duc de Buckingham acquiert en 1824 le squelette presque complet d'un animal non encore identifié, le plésiosaure – également trouvé par Mary et son chien. Les exemplaires incomplets sont moins chers. Cuvier se verra adjuger pour 10 livres un fémur d'ichtyosaure.

Plus désintéressé, un certain M. Atthey, épicier à Newcastle, en plein pays minier, échange ses produits avec les mineurs contre... des fossiles qu'il étudie lorsque sa boutique lui en laisse le temps. S'il est passé à côté de la fortune – il a fait faillite –, il a laissé à la science une œuvre toujours appréciée.

En Allemagne, Bernhard Hauff perfectionne le système et fournit, à partir des années 1890, des

fossiles «prêts à l'emploi». Ce sont donc des squelettes nettoyés, reconstitués sur dalle de schiste noir – leur emballage d'origine – qu'il propose à sa clientèle. Crocodiliens, plésiosaures, ptérosaures, poissons, invertébrés en tous genres... son laboratoire est bien approvisionné. Mais le clou de sa collection, ce sont les ichtyosaures. Il a même découvert un fossile qui a permis de constater que ce reptile était doté de nageoires dorsales et caudales.

Le temps des mécènes

Pendant que certains spéculent sur les fossiles, d'autres, plus riches, leur consacrent une partie de leur fortune. Le XIXᵉ siècle est le siècle des mécènes de la paléontologie.

Les banquiers, les grands industriels, surtout aux Etats-Unis, ont financé des expéditions, des collections, des musées. Andrew Carnegie, le roi de l'acier, se passionne et fonde à Pittsburgh un musée qui gagnera bientôt une renommée internationale, en particulier pour ses dinosaures. Au début du XXᵉ siècle, une équipe de ce musée découvre dans l'Utah un extraordinaire gisement de reptiles du Secondaire, la Carnegie Quarry, qui

En 1907, le mécène américain Andrew Carnegie décida d'offrir un moulage de diplodocus à la France, en gage d'amitié entre les deux pays. Les trente-quatre caisses contenant les pièces arrivèrent en avril 1908, accompagnées par le professeur Holland et son assistant, venus d'Amérique pour diriger les opérations de montage. Ils furent reçus au Muséum national d'histoire naturelle par Marcellin Boule.

deviendra le Dinosaur National Monument. Les travaux de dégagement, menés sur plusieurs années, seront financés par Carnegie. Celui-ci fera don à sept musées – Londres, Paris, Berlin, Vienne, Bologne, La Plata et Mexico – d'un moulage du *Diplodocus carnegii*, vedette du musée de Pittsburgh. Perpétuant la tradition, les héritiers Frick et McKenna, des magnats de l'acier eux aussi, consacreront une partie de leur fortune à la science des animaux disparus.

Autre exemple, George Peabody, un grand nom de la banque anglaise, finance les études et les recherches de son neveu Othniel Marsh. Il finance aussi de nombreuses œuvres, des écoles, des collèges, trois musées, dont celui de l'université de Yale, à New Haven (Connecticut), consacré à l'histoire naturelle.

Toutes les grandes villes vont bientôt avoir leur musée d'histoire naturelle, avec une prestigieuse section de paléontologie

Alimentés par des fonds publics ou privés, des legs et donations, grossis de leurs propres récoltes, les musées drainent des foules nombreuses. Il faut ouvrir de nouveaux bâtiments, en agrandir d'anciens pour accueillir tout ce que le siècle a mis au jour. Jusqu'alors on n'avait que des os épars, des coquilles, des poissons, toutes choses peu encombrantes. Désormais, de gigantesques squelettes font irruption dans les salles, bien plus parlants, bien plus compréhensibles pour le public que tous les cailloux d'antan.

Annexe du British Museum, le Natural History Museum , inauguré en 1880, possède d'importantes collections de fossiles. A Paris, la grande galerie de paléontologie (à droite) est construite par Dutert, l'un des architectes de l'Exposition Universelle de 1889. Inaugurée le 21 juillet 1898, elle eut un succès populaire immédiat : 11 000 visiteurs le premier dimanche...

Aepyornis, le « grand oiseau », a été trouvé à Madagascar; exposé au Muséum national d'histoire naturelle, il mesure 2,68 mètres de haut.

A Londres, la collection d'histoire naturelle du British Museum se voit attribuer de nouveaux locaux, pour elle seule, à South Kensington (1880). A Paris, Albert Gaudry obtient en 1898 l'ouverture d'une galerie de paléontologie. Les musées allemands – Francfort, Berlin, Stuttgart – connaissent semblable développement. Ces musées ont leurs propres laboratoires, mènent leurs propres recherches, faisant venir du matériel parfois de très loin. Un auteur rapporte qu'à la fin du siècle le musée de Munich s'était procuré des fossiles en Argentine, en Uruguay, aux Etats-Unis, en Grèce, en Angleterre, en Egypte...

Très actifs, les musées américains, tout récents, se constituent des collections à la mesure de la richesse fossilifère du territoire. L'American Museum of Natural History de New York, le plus grand, le Peabody Museum, le Carnegie Museum, l' U.S. National Museum de Washington... tous sont à l'origine de fantastiques aventures paléontologiques.

Les artistes prennent le relais

Pour peupler les musées, il ne suffit pas de montrer les fossiles; les visiteurs veulent voir des reconstitutions, à la fois scientifiquement acceptables et plaisantes à regarder. Pour cela, on fait appel à des artistes qui travaillent sous contrôle des paléontologues. Owen avait ouvert le feu avec son Crystal Palace. Un projet similaire dans Central Park, à New York, pour lequel le grand spécialiste Waterhouse Hawkins avait été sollicité, échouera, victime d'une sombre machination politique.

On veut aussi présenter tous ces animaux disparus dans leur environnement, non plus dans des flots tempétueux ou des paysages troubles, inquiétants, mais au milieu de ce qu'on croit, de manière un peu fantaisiste souvent, avoir été la végétation de l'époque. Des artistes comme J. Smith en Angleterre, Louis Figuier et Camille Flammarion en France, Charles Knight aux Etats-Unis, passeront maîtres dans l'art de faire revivre les mondes disparus.

Les premières représentations de fossiles remontent à la préhistoire, lorsque les fossiles en question n'en étaient pas encore : ce sont les animaux peints ou gravés dans les grottes paléolithiques d'Europe. Pour les hommes d'aujourd'hui, la reconstitution des animaux disparus a d'abord été une question d'imagination: le rhinocéros d'Albrecht Dürer, au XVIe siècle, au XVIIIe l'imaginaire licorne d'Abertini. Au XIXe, tout change : c'est à partir des fossiles que l'on tente de leur redonner une forme. Waterhouse Hawkins, que l'on voit (à gauche) travailler pour ses dinosaures du Crystal Palace, ou Charles Knight (ci-dessus) sont encore dans l'à-peu-près. Ce n'est qu'au XXe siècle que l'on aboutira à des reconstitutions anatomiquement vraisemblables.

L'Europe au Jurassique

Dans la mer nagent de grands reptiles marins plus ou moins agressifs : ichtyosaures, plésiosaures. Sur les rochers s'agrippent des reptiles volants : ptérodactyles, ramphorhynchus. Dans l'eau, on identifie des ammonites, des bélemnites, des pentacrines (lys de mer), des cidaris (oursins à gros piquants), des gryphés (sorte d'huîtres), des poissons (lépidotes). Sur le rivage s'élèvent des araucarias (conifères), des bennettitales (semblables à de petits palmiers), des cycadales (à couronnes de feuilles au bout des branches). Deux archéoptéryx – les premiers oiseaux – volent dans le ciel

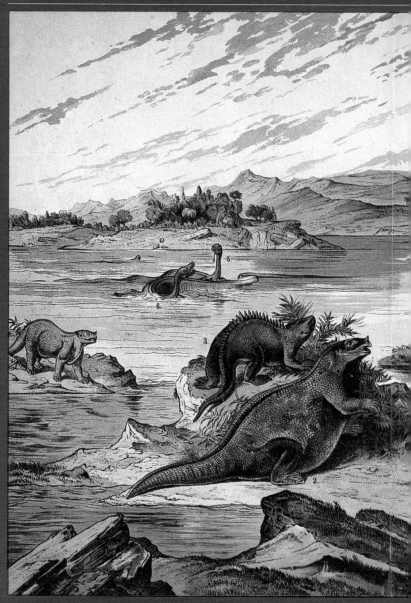

L'Europe au Crétacé

S ur le rivage sont
représentés les trois
premiers dinosaures
découverts, tels qu'on
les imaginait à la fin
du XIXe siècle :
*Megalosaurus,
Hylacosaurus* et
Iguanodon. Sortant sa
tête de l'eau, le fameux
Mosasaurus (le Grand
animal de Maëstricht).
Un reptile volant est
accroché au rivage
rocheux. Sur terre
s'élèvent de grandes
cycadales (comme dans
le paysage précédent).

De l'autre côté de l'Atlantique, en Amérique du Nord, d'immenses territoires vides de population s'ouvrent à la prospection paléontologique. On avait voulu voir dans ces terres le refuge des géants et des monstres disparus d'Europe. On y découvre un extraordinaire réservoir de fossiles.

CHAPITRE VI
DE NOUVEAUX MONDES À DÉFRICHER

De nouvelles régions sont prospectées, fournissant de plus en plus de matériel. Ainsi, le Spitzberg, dans l'Arctique, est exploré par les paléontologues norvégiens. Des moulages d'empreintes de dinosaures vont être embarqués vers le Muséum d'Oslo.

On y met au jour des squelettes, parfois gigantesques, quasi intacts, d'animaux dont on n'avait que des fragments ou dont on ignorait totalement l'existence. Carcasses fantastiques qui déchaînent l'enthousiasme du public, contribuant à faire sortir la paléontologie des cercles savants.

En fait, les premières découvertes en Amérique du Nord avaient eu lieu au milieu du XVIIIᵉ siècle et la bonne société cultivée américaine, comme les Européens, se passionne pour les fossiles. Thomas Jefferson lui-même, qui n'était pas encore président (il le sera de 1801 à 1808), avait apporté sa contribution écrite à l'histoire des animaux disparus. Il aurait donné pour instruction à Clark et Lewis, deux officiers chargés en 1804 d'explorer l'Ouest, de rechercher les descendants vivants des créatures de pierre. Clark et Lewis n'ont retrouvé que... d'autres fossiles. La percée paléontologique dans l'ouest du territoire ne commencera vraiment que dans la deuxième moitié du siècle.

En ce début du XIXᵉ siècle, c'est dans l'est des Etats-Unis que l'on fait les principales trouvailles

Charles Peale, un ardent collectionneur d'objets d'histoire naturelle, entreprend en 1801, avec l'aide de l'American Philosophical Society, le dégagement systématique de squelettes de mastodontes dans la région d'Orange (Etat de New York). Une machinerie complexe est mise au point pour l'occasion. On fouille un peu partout et l'on trouve, tout en vrac et en morceaux, des poissons, des reptiles, des mammifères... et, dans la vallée du Connecticut, des empreintes de pas qu'Edward Hitchcock, professeur de «théologie et géologie naturelle» au Amherst College (Massachusetts), attribue à des oiseaux hauts de 3 ou 4 mètres, à des reptiles ou encore à des marsupiaux.

A peu près à la même époque, en 1858, Joseph Leidy se penche sur les restes d'une

Jusqu'à la fin de ses jours, Edward Hitchcock crut que les multiples traces qu'il avait retrouvées dans la Connecticut Valley étaient des empreintes d'oiseaux géants. Il les exposa comme telles à Amherst College dans un musée, le Appleton Cabinet (ci-contre).

Il avait découvert des traces de pieds des premiers dinosaures, dont la structure était en fait très proche de celle des d'oiseaux.

créature que l'on ne trouvera qu'en Amérique
du Nord, l'*Hadrosaurus foulkii* (baptisé ainsi en
hommage à un certain Foulke qui en avait dirigé
le dégagement).

Albert Koch, un collectionneur allemand,
poussé moins par l'intérêt scientifique que par le
profit qu'il peut tirer du commerce des fossiles,
se lance dans le montage des carcasses mises au
jour. A partir de quelques os de mastodontes en
piteux état, il reconstitue en 1832 un énorme
squelette tout à fait fantaisiste, qu'il présente aux
visiteurs comme celui d'un *Missourium*, le
Léviathan de la Bible. Vendu au British Museum
deux ans plus tard, l'animal retrouvera une forme
plus conforme à la réalité.

Devant le succès de l'opération, Koch réitère
en 1844. Cette fois, c'est avec les os d'au moins
cinq individus différents qu'il crée un animal
totalement imaginaire de 35 mètres de long,
l'*Hydrargos sillimanii*, un serpent de mer.
Après New York où il est un temps exposé,
Hydrargos fera la tournée des villes européennes,
avant d'atterrir au musée de Berlin, comme don
du roi de Prusse. Là s'achève sa carrière. Les
hommes de science se chargeront de le démasquer.

J oseph Leidy,
fondateur de la
paléontologie des
vertébrés aux Etats-
Unis, pose fièrement
près d'un os
d'*Hadrosaurus*, le
premier squelette de
dinosaure trouvé en
Amérique du Nord.

L a scène se passe dans l'est des Etats-Unis, au début du XIXe siècle. Dans sa ferme de l'Orange County, John Masten exploite aussi la tourbe. Et voici qu'un jour de 1799, il trouve des os, des os énormes. Faisant venir aussitôt une bonne centaine de voisins, il creuse, fouille, et remonte quantité d'os; mais il a voulu faire si vite que tout est abîmé. Deux ans plus tard, Charles Wilson Peale, un riche collectionneur de Philadelphie, décide d'intervenir. Pour 100 dollars, il loue la tourbière de Masten et commence par la drainer, d'où l'installation d'une grande roue et d'une pompe, machinerie bien complexe pour un enjeu en apparence anodin. Devant des foules de curieux, Peale fait bientôt remonter un squelette presque entier de mastodonte; il ne manque que la mâchoire inférieure... On la cherche dans d'autres tourbières voisines; et lorsqu'on en découvre enfin une, pourvue d'énormes dents, on conclut que ces bêtes impressionnantes ne pouvaient être que carnivores... Or, on le sait, les proboscidés, quelle que soit l'époque, ont toujours été des herbivores...

Première étape de la conquête de l'Ouest : les Mauvaises Terres du Nebraska

Mauvaises Terres, Badlands, c'est le nom que leur ont donné les colons. Une végétation clairsemée, des sols nus profondément érodés et entaillés... le désespoir de l'agriculteur et le paradis du chasseur de fossiles. «L'esprit alangui du géologue brûlé par le soleil ne peut cependant se permettre de faiblir. Les trésors fossiles lui font oublier la chaleur harassante et la fatigue. A chaque pas, des objets du plus haut intérêt se dévoilent», écrit Joseph Leidy. Là ce sont des mammifères, grands et petits, que l'on met au jour, en particulier des chevaux, qui permettront de remonter plus loin dans la généalogie du cheval actuel.

F in prêts pour la chasse aux dinosaures : Marsh (au centre), entouré de ses élèves, le doigt sur la gâchette...

On prend alors conscience de l'immense richesse potentielle de ces terres que les colons ont à peine commencé à occuper.

Un temps arrêtée par la guerre de Sécession, la progression vers l'Ouest reprend, et à plus grande échelle, une fois la paix revenue, après 1865. Ce sont alors de véritables expéditions qui sont entreprises, des campagnes de prospection systématique.

La ruée vers les dinosaures

Le chemin de fer transcontinental ouvre une formidable voie. Des milliers d'ouvriers entaillent, creusent le sol pour poser les rails ou préparer le ballast, déterrant au passage les ossements enfouis. Les paléontologues sont à l'affût.

Deux hommes, deux chasseurs de dinosaures, ont marqué cette épopée : Othniel Charles Marsh et Edward Drinker Cope. Ils s'étaient rencontrés en Europe où, comme c'était fréquent à l'époque, ils étaient l'un et l'autre venu parfaire leurs connaissances paléontologiques. Les savants européens occupaient en effet une position dominante. Ils s'étaient liés d'amitié et avaient, à leur retour, après 1868, prospecté ensemble. Mais rapidement leurs relations dégénèrent en une lutte sans merci.

Chacun veut arriver le premier, faire les plus grandes découvertes, s'en assurer l'exclusivité en rétribuant des hommes sur place – dans ce domaine, l'avantage est à Marsh, beaucoup plus riche –, en leur faisant signer des contrats,

En 1877, un jeune maître d'école, Arthur Lakes, qui avait découvert à Morrison dans le Colorado les plus gros ossements jamais trouvés, écrivit à Marsh pour lui demander une aide financière. Marsh envoya immédiatement un chèque et dépêcha le géologue Mudge, son directeur de fouilles, sur les lieux. Il fit entrer Lakes dans son équipe et l'envoya sur le gisement de Como Bluff dans le Wyoming, découvert la même année par deux employés de l'Union Pacific Railroad.

allant parfois jusqu'à la violence pour empêcher les troupes ennemies de pénétrer sur leur territoire. Ils se livrent à une véritable guerre des publications – d'une grande valeur scientifique d'ailleurs – que Cope emporte largement par le nombre : 1 400 contre 270. Pour prendre de vitesse Marsh, il télégraphie ses papiers, ce qui entraîne la plus grande fantaisie dans les noms d'espèces nouvelles (il en nomme au total plus de 1 000) et un chaos indescriptible dans la nomenclature. Le ton monte, ils s'accusent mutuellement de se voler les fossiles, d'antidater leurs découvertes... La presse s'en mêle, on lance des accusations aussi graves que détournements de fonds, manipulations politiques. La guerre ne cessera qu'avec la disparition des belligérants.

L'information d'une découverte arrive par lettre, ou mieux par télégraphe. On dépêche alors sur place des observateurs : à eux de décider d'entreprendre ou non des recherches. Puis des équipes sont constituées, grossies à

Entre Reed, le chef de chantier de Como Bluff, un ancien chasseur de gros gibier, et Arthur Lakes, les relations sont tendues. Lakes veut faire un travail scientifique; il dessine chaque fossile, prend des notes, ce qui lui vaut d'être traité de paresseux par Reed, qui lui reproche de manier plus souvent le pinceau que la pioche... C'est pourtant grâce à cette cette série d'aquarelles que l'on retrouve l'atmosphère de la vie quotidienne de ces «chasseurs de dinosaures». Ci-dessus, Benjamin Mudge examine des récentes trouvailles.

l'occasion d'ouvriers du chemin de fer et d'hommes des ranchs voisins. Commence alors l'extraction. Une rude tâche. Les blocs contenant les ossements sont dégagés à la main, hiver comme été, dans des conditions climatiques parfois très dures. Arthur Lakes, un homme de Marsh, raconte : «... au fond d'une fosse de 9 mètres de profondeur battue par la neige et le vent, les doigts durcis par un froid de -20 ou -30° C, aveuglé par la neige qui recouvre l'os à mesure qu'on le déterre...» Dans son journal, à la date du 9 août 1879, il note : «Orage et tempête : des grêlons gros comme des œufs.» Reste le transport par chariot bâché jusqu'au fleuve ou jusqu'à la ligne de chemin de fer la plus proche, d'où la précieuse cargaison sera acheminée vers l'Est. Une opération délicate, pour laquelle il faut protéger les fossiles, mettre au point des embarcations suffisamment solides pour résister au poids des pierres. Et l'on n'arrive pas toujours à éviter le naufrage.

Il faut compter avec les Indiens, profiter de

Dans cette aquarelle intitulée *Plaisirs de la Science*, Lakes se représente lui-même debout, à côté de son assistant; la vie est dure, en février 1879, à Como Bluff... Pourtant, hiver après hiver, le dégagement progresse, et des tonnes de fossiles sont expédiés à Marsh, à New Haven.

leurs migrations saisonnières, ou guerrières, pour avancer. Ou user d'astuce. Cope s'allie leurs bonnes grâces en retirant puis en remettant son dentier! Fascinés, les Indiens réclament qu'il répète plusieurs fois l'opération... et lui ouvrent le passage. Ce n'est pas sans frayeur qu'ils laissent fouiller leurs terres : les ossements fossiles sont pour les Sioux des restes d'énormes serpents tués par le Grand Esprit.

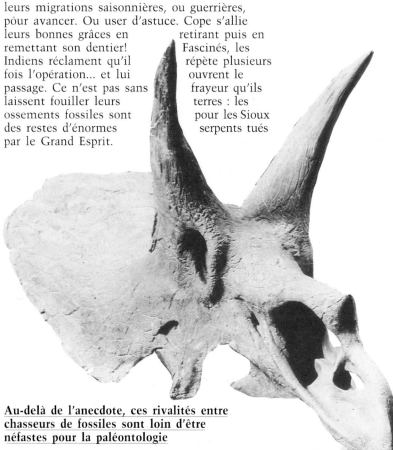

Au-delà de l'anecdote, ces rivalités entre chasseurs de fossiles sont loin d'être néfastes pour la paléontologie

Dans leur course à la découverte, Marsh et Cope ont mis au jour des gisements d'une très grande richesse, en particulier dans le Colorado (l'un et l'autre), puis à Como Bluff, dans le Wyoming (Marsh), où les vestiges de dinosaures en bon état s'étendent sur plus de 10 kilomètres de long, et le long de la Judith River, dans le Montana (Cope). Ces nouvelles découvertes font revivre d'autres espèces de dinosaures. Allosaures, cératosaures, brontosaures, diplodocus, tricératops... ont bel et bien été baptisés par

Le tricératops, dinosaure à cornes, mesurait 9 mètres de long. Il a vécu à la fin du Crétacé dans l'ouest du Canada et des Etats-Unis. Marsh pensa d'abord qu'il s'agissait d'une espèce éteinte de bison géant.

Sur le site de Red Deer River, dans l'Alberta, on procède au transport des os de dinosaures, récoltés par Barnum Brown et ses assistants. La région fait aujourd'hui partie de l'Alberta Dinosaur Park au Canada. Une route goudronnée a remplacé la piste où grimpe le vieux chariot.

Des paléontologues de l'American Museum of Natural History appliquent des bandages imprégnés de plâtre sur d'énormes vertèbres de dinosaures à Nine Mile Quarry, Como Bluff (Wyoming), avant de les transporter. Pour les consolider, on utilisait aussi de la pâte de riz.

Barnum Brown, l'un des grands paléontologues de New York, travaille sur le site de Red Deer River. Sur cette photo de 1912, il est en train d'extraire le squelette d'un *Corythosaurus*, gros dinosaure à la tête couronnée d'une haute crête osseuse aplatie latéralement, et datant de la fin du Crétacé.

Dans cette reconstitution d'une scène marine, l'illustrateur Zdenek Burian a mis en images les dernières hypothèses des spécialistes de paléontologie. On voit s'affronter des mosasaures, reptiles nageurs longs de 8 mètres, carnassiers féroces, qui propulsent leur énorme corps à grands coups de queue. Au–dessus de l'eau planent des ptéranodons, les plus grands reptiles volants de tous les temps (certains atteignent 16 mètres d'envergure). Avec leur bec immense, ils attrapent en vol les poissons dont ils se nourrissent. Une bizarre excroissance à l'arrière de leur crâne les équilibre en servant de contrepoids au bec. Les uns et les autres disparurent à la fin du Crétacé, comme les dinosaures.

Marsh et Cope. Enfin, tous – ou presque – les grands noms de la paléontologie nord-américaine du XXᵉ siècle ont fait leurs premières armes avec eux, et continueront leur œuvre... pacifiquement.

Bientôt le monde entier s'ouvre à la prospection paléontologique

Au cours de la dernière décennie du XIXᵉ siècle, un nouveau front est ouvert au Canada, le long de la Red Deer Valley. Puis c'est la Carnegie Quarry, dans l'Utah, qui deviendra le Dinosaur National Monument, où les animaux sont exposés au public sur place, là où ils sont morts il y a des millions d'années. Pas un continent n'échappe au paléontologue. Sans oublier les régions de l'Arctique et de l'Antarctique, les derniers venus.

Le résultat de cette épopée paléontologique, c'est une formidable moisson de fossiles. Des squelettes entiers, des os, bien sûr, des coquilles, des végétaux, mais aussi des œufs, de la peau minéralisée, des excréments, des empreintes de pas, des gouttes de pluie... Autant de témoignages de la vie et des formes successives qu'elle a adoptées au cours des temps géologiques, à partir desquels les paléontologues reconstituent l'histoire de notre planète et des êtres qui l'ont peuplée.

En plein air, occupés à dégager le crâne d'un tricératops, ou au laboratoire, nettoyant un fossile : deux aspects de la vie des paléontologues.

Une ère nouvelle

Si l'attention s'est un temps surtout portée sur les restes des grands vertébrés, les «petits fossiles» n'en sont pas pour autant oubliés. Ils ont aussi leur place, et non des moindres, dans cette quête de notre histoire. Et dans notre vie actuelle : l'étude de certaines coquilles, par exemple, se révèle de première importance pour la recherche pétrolière.

Des techniques actuelles ultrasophistiquées ont permis de déceler des traces d'organismes unicellulaires (bactéries et algues) dans des formations datant de l'antécambrien) (-3,5 milliards d'années), une époque que l'on croyait exempte de toute vie. Le XIXᵉ siècle avait fait revivre l'infiniment grand, le XXᵉ siècle découvre l'infiniment petit. La paléontologie est entrée depuis quelques décennies dans un nouvel âge. Avec ses techniques de terrain, de préparation et d'exploitation, elle est la plus complète des disciplines naturalistes. Procédés chimiques, méthodes de détection, de séparation, scanners, microscopes électroniques, ordinateurs ont fait irruption. La science de l'ancien a gagné en efficacité... et perdu en romanesque. Mais le paléontologue sondant la pierre avec son marteau n'est pas près de venir grossir le nombre des espèces disparues.

E n 1977, on découvre en Sibérie le corps d'un bébé mammouth, conservé intact depuis 12 000 ans. Ce n'était pas une première, loin de là. Le premier squelette récupéré fut monté en 1806. La première expédition scientifique, en 1901, rapporta un mammouth congelé exposé depuis à Leningrad. Un mammouth provenant de l'île de Liakhov fut offert en 1908 au Muséum d'histoire naturelle de Paris. Il est exposé aujourd'hui à l'entrée du musée.

TÉMOIGNAGES
ET DOCUMENTS

La chasse aux fossiles d'hier,
la paléontologie d'aujourd'hui.

Voyage au centre de la Terre

Paru en 1864, le Voyage au centre de la Terre *est le deuxième grand roman de Jules Verne. A partir d'une abondante documentation géologique et paléontologique, l'auteur nous entraîne, en poète visionnaire, dans une fabuleuse exploration tellurique.*

Peut-être recontrerrons-nous quelques-uns de ces sauriens que la science a su refaire avec un bout d'ossement ou de cartilage ?

Je prends la lunette et j'examine la mer. Elle est déserte. Sans doute nous sommes encore trop rapprochés des côtes.

Je regarde dans les airs. Pourquoi quelques-uns de ces oiseaux reconstruits par l'immortel Cuvier ne battraient-ils pas de leurs ailes ces lourdes couches atmosphériques ? Les poissons leur fourniraient une suffisante nourriture. J'observe l'espace, mais les airs sont inhabités comme les rivages.

Cependant mon imagination m'emporte dans les merveilleuses hypothèses de la paléontologie. Je rêve tout éveillé. Je crois voir à la surface des eaux ces énormes Chersites, ces tortues antédiluviennes, semblables à des îlots flottants. Sur les grèves assombries passent les grands mammifères des premiers jours, le Leptotherium, trouvé dans les cavernes du Brésil, le Mericotherium, venu des régions glacées de la Sibérie. Plus loin, le pachyderme Lophiodon, ce tapir gigantesque, se cache derrière les rocs, prêt à disputer sa proie à l'Anoplotherium, animal étrange, qui tient du rhinocéros, du cheval, de l'hippopotame et du chameau, comme si le Créateur, trop pressé aux premières heures du monde, eût réuni plusieurs animaux en un seul. Le Mastodonte géant fait tournoyer sa trompe et broie sous ses défenses les rochers du rivage, tandis que le Mégatherium, arc-bouté sur ses énormes pattes, fouille la terre en éveillant par ses rugissements l'écho des granits sonores. Plus haut, le Protopithèque, le premier singe apparu à la surface du globe, gravit les cimes ardues. Plus haut encore, le Ptérodactyle, à la main ailée, glisse comme une large chauve-souris sur l'air comprimé. Enfin, dans les dernières couches, des oiseaux immenses, plus puissants que le casoar, plus grands que l'autruche, déploient leurs vastes ailes et vont donner de la tête contre la paroi de la voûte granitique.

Le rêve d'Axel : « ... tout ce monde fossile renaît dans mon imagination. »

Tout ce monde fossile renaît dans mon imagination. Je me reporte aux époques bibliques de la création, bien avant la naissance de l'homme, lorsque la terre incomplète ne pouvait lui suffire encore. Mon rêve alors devance l'apparition des êtres animés. Les mammifères disparaissent, puis les oiseaux, puis les reptiles de l'époque secondaire, et enfin les poissons, les crustacés, les mollusques, les articulés. Les zoophytes de la période de transition retournent au néant à leur tour. Toute la vie de la terre se résume en moi, et mon cœur est seul à battre dans ce monde dépeuplé. Il n'y a plus de saisons ; il n'y a plus de climats ; la chaleur propre du globe s'accroît sans cesse et neutralise celle de l'astre radieux. La végétation s'exagère. Je passe comme une ombre au milieu des fougères arborescentes, foulant de mon pas incertain les marnes irisées et les grès bigarrés du sol ; je m'appuie au tronc des conifères immenses ; je me couche à l'ombre des Sphenophylles, des Asterophylles et des Lycopodes hauts de cent pieds.

Les siècles s'écoulent comme des jours ! Je remonte la série des transformations terrestres. Les plantes disparaissent ; les roches granitiques perdent leur pureté ; l'état liquide va remplacer l'état solide sous l'action d'une chaleur plus intense ; les eaux courent à la surface du globe ; elles bouillonnent, elles se volatilisent ; les vapeurs enveloppent la terre, qui peu à peu ne forme plus qu'une masse gazeuse, portée au rouge blanc, grosse comme le soleil et brillante comme lui !

Jules Verne,
Voyage au centre de la Terre

L e botaniste et paléontologue allemand Franz Unger (1800-1876) imagina ces monstre
à l'époque où Mantell venait de découvrir les premiers dinosaures, et où l'on
commençait à reconstituer ces créatures disparues. Ici les animaux présentent des
caractères hétéroclites totalement imaginaires, dans le goût expressif du XIXᵉ siècle.

Les êtres du passé : la réalité dépasse la fiction !

Voyager dans le temps est un des mythes essentiels de la science-fiction. Surgies des âges multimillénaires, les créatures que Ray Bradbury ressuscite et fait rencontrer à ses héros plongent ceux-ci dans un univers d'angoisse et de fascination épouvantée.

La Sirène

— Chut ! fit McDunn. Là ! De la tête, il m'indiqua l'obscurité, au-dehors.

Quelque chose en effet approchait du phare, en nageant.

Comme je l'ai déjà dit, la nuit était froide. La haute tour paraissait de glace, la lumière allait et venait et la Sirène appelait, appelait à travers l'épaisseur du brouillard. On ne pouvait voir ni bien loin ni clair, mais la mer était là, se ruant vers la terre

enténébrée, unie et calme, couleur de boue sale ; nous étions tous deux seuls dans la haute tour et là-bas, devant nous, encore assez loin, il y avait un remous, suivi d'une vague, et quelque chose qui s'élevait dans un bouillonnement d'écume. Tout à coup, à la surface glacée de la mer, une tête parut, une grosse tête sombre avec des yeux immenses ; puis un cou. Venait ensuite – non pas un corps – mais le cou interminable, encore et toujours. La tête se dressait à présent à quarante pieds au-dessus de l'eau sur un cou frêle, beau et sombre. C'est alors seulement que peu à peu, le corps sortit de la mer, pareil à une île de corail noir, couverte de coquillages et de crustacés.

Enfin, on vit ondoyer une queue. En tout, de la tête au bout de la queue, j'estime que le monstre devait avoir quatre-vingt-dix à cent pieds.

Je ne me souviens pas de ce que j'ai pu dire, mais je sais que j'ai dit quelque chose.

— Courage, mon garçon, chuchota McDunn.

— Ce n'est pas possible, je rêve !

— Non, Johnny, c'est notre vie actuelle qui est un rêve. Ce que tu vois devant toi, c'est la vie telle qu'elle était il y a dix millions d'années. Elle, elle n'a pas changé. C'est nous qui avons changé, nous et la terre, et c'est nous qui vivons dans un rêve. Nous.

Le monstre nageait au loin, dans l'eau glacée, lentement, avec une majesté sombre. Autour de lui le brouillard se déplaçait, estompant parfois son contour. La puissante lumière du phare frappa et alluma l'œil de la bête qui la réfléchit, rouge, blanche, rouge, blanche ; on eût dit un disque haut perché envoyant des signaux lumineux dans un code primitif. Tout cela silencieux comme le brouillard à travers lequel le monstre se déplaçait.

— C'est un dinosaure ou quelque animal de cette époque !

Je m'accroupis, m'agrippant à la rampe de l'escalier.

— Oui, de la même famille en tout cas.

— Mais ils ont disparu !

— Non, ils se sont simplement enfoncés dans les profondeurs. Loin, loin, dans les plus grandes profondeurs de l'abîme. Les profondeurs ! Ce n'est pas un mot comme les autres, Johnny, c'est un mot qui dit tant de choses. Un mot qui renferme tout le froid, toute l'obscurité et tous les abîmes du monde.

— Qu'allons-nous faire ?

— Ce que nous allons faire ? Notre travail tout simplement, nous ne pouvons pas le quitter. D'ailleurs, nous sommes plus à l'abri ici que dans n'importe quel bateau qui essayerait de nous mener à terre. Ce monstre est aussi grand et presque aussi rapide qu'un navire de guerre.

— Mais pourquoi vient-il ici ? Pourquoi *ici* ?

Un instant plus tard, la réponse me fut donnée.

La Sirène mugit.

Et le monstre répondit.

Un cri qui perçait à travers un million d'années d'eau et de brouillard. Un cri si angoissé, si solitaire qu'il retentit dans ma tête et dans tout mon corps. Le monstre rugit vers la tour. Et la tour mugit. Le monstre rugit à nouveau. La tour mugit. Le monstre ouvrit sa grande gueule aux dents luisantes et le son qu'il émit était le cri même de la Sirène. Solitaire, ample et lointain. L'appel même de celui qui, par une nuit glacée, erre seul, perdu et aveugle, sur une mer bouchée. C'était le même cri ! (...)

La Sirène mugit.

Le monstre répondit.

Je voyais, je comprenais – les millions d'années d'attente solitaire d'un être qui devait revenir et qui ne revenait jamais. Les millions d'années d'isolement au fond de la mer, cette démence des temps pendant lesquels les oiseaux-reptiles disparaissaient du ciel, et les marécages se desséchaient sur les continents ; les beaux jours des grands reptiles, des mammouths arrivaient à leur terme, leurs restes gisaient dans des mares de goudron et seuls les hommes, pareils à des fourmis blanches, couraient sur les collines.

La Sirène mugit. (...)

Le monstre était à présent à une centaine de pieds seulement, échangeant des cris avec la Sirène. Et la lumière créait entre eux comme un lien : les yeux du monstre étaient tour à tour de feu, de glace, de feu, de glace. (...)

Le monstre se précipita vers le phare.

La Sirène mugit.

— Voyons ce qui va arriver, murmura McDunn.

Il arrêta la Sirène.

Dans la minute qui suivit, le silence fut si profond que nous pouvions entendre résonner les battements de nos cœurs dans la cage en verre du phare, entendre aussi le glissement du projecteur dans son alvéole huilée.

Le monstre s'arrêta et frissonna. Ses yeux, grands comme des lanternes, clignotèrent. Sa gueule s'ouvrit, béante. Elle émit une sorte de grognement sourd, pareil à celui d'un volcan. Il pencha la tête à droite, puis à gauche, comme pour retrouver la voix qui s'était perdue dans le brouillard. Il scruta le phare, gronda à nouveau. Puis ses yeux s'allumèrent. Il se cabra, frappa l'eau de sa queue, se précipita sur le phare, les yeux remplis d'une colère tourmentée.

— McDunn, faites marcher la Sirène ! lui criai-je.

McDunn s'y acharna avec maladresse. Mais même lorsqu'il eut réussi à l'actionner à nouveau, le monstre resta cabré. Ses pattes palmées, gigantesques, griffaient la tour, lançaient des reflets ; la peau couverte d'écailles brillait entre le jet de griffes. L'énorme œil angoissé, sur le côté droit de la tête, luisait devant moi comme un chaudron dans lequel il me semblait que je tombais en hurlant. La tour trembla. La Sirène mugissait ; le monstre mugissait. Il saisit la tour entre ses pattes et grinça des dents ; les vitres volèrent en éclats autour de nous.

McDunn me saisit le bras :

— Descendons, vite !

La tour chancela, trembla, se redressa. La Sirène et le monstre mugirent. Nous nous précipitâmes et dégringolâmes l'escalier. « Vite ! »

Nous arrivâmes en bas comme la tour s'écroulait au-dessus de nos têtes.

Ray Bradbury,
les Pommes d'or du Soleil

Un coup de tonnerre

La jungle autour d'eux était haute et vaste et le monde entier n'était qu'une jungle pour l'éternité. Des sons s'entrecroisaient formant comme une musique et le ciel était rempli de lourdes voiles flottantes : c'étaient des ptérodactyles s'élevant sur leurs grandes ailes grises, chauves-souris gigantesques échappées d'une nuit de délire et de cauchemar. (...)

Il s'arrêtèrent.

Travis leva la main. « Devant nous, chuchota-t-il. Dans le brouillard.

Il est là. Il est là, Sa Majesté, le Tyrannosaure. »

La vaste jungle était pleine de gazouillements, de bruissements, de murmures, de soupirs.

Et soudain, tout se tut comme si quelqu'un avait claqué une porte.

Le silence.

Un coup de tonnerre.

Sortant du brouillard, à une centaine de mètres, le Tyrannosaure rex avançait.

— Sainte Vierge, murmura Eckels.

— Chut !

Il arrivait planté sur d'énormes pattes, à larges enjambées, bondissant lourdement. Il dépassait d'une trentaine de pas la moitié des arbres, gigantesque divinité maléfique, portant ses délicates pattes de devant repliées contre sa poitrine huileuse de reptile. Par contre, chacune de ses pattes de derrière était un véritable piston, une masse d'os, pesant mille livres, enserrée dans un réseau de muscles puissants, recouverte d'une peau caillouteuse et brillante, semblable à l'armure d'un terrible guerrier. Chaque cuisse représentait un poids d'une tonne de chair, d'ivoire et de mailles d'acier. Et de l'énorme cage thoracique sortaient ces deux pattes

délicates, qui se balançaient devant lui, terminées par de vraies mains qui auraient pu soulever les hommes comme des jouets, pendant que l'animal aurait courbé son cou de serpent pour les examiner. Et la tête elle-même était une pierre sculptée d'au moins une tonne portée allégrement dans le ciel. La bouche béante laissait voir une rangée de dents acérées comme des poignards. L'animal roulait ses yeux, grands comme des œufs d'autruche, vides de toute expression, si ce n'est celle de la faim. Il ferma sa mâchoire avec un grincement de mort. Il courait, les os de son bassin écrasant les buissons, déracinant les arbres, ses pattes enfonçant la terre molle, y imprimant des traces profondes de six pouces. Il courait d'un pas glissant comme s'il exécutait une figure de ballet, incroyablement rapide et agile pour ses dix tonnes. Il avança prudemment dans cette arène ensoleillée, ses belles mains de reptile prospectant l'air.

— Mon Dieu ! Eckels se mordit les lèvres. Il pourrait se dresser sur ses pattes et saisir la lune.

— Chut ! fit Travis furieux, il ne nous a pas encore vus.

— On ne pourra jamais le tuer.

Eckels prononça ce verdict calmement comme si aucun argument ne pouvait lui être opposé. Le fusil dans sa main lui semblait une arme d'enfant. Nous avons été fous de venir. C'est impossible. » (...)

Le Lézard du Tonnerre se dressa sur ses pattes. Son armure brillait de mille éclats verts, métalliques. Dans tous les replis de sa peau, la boue gluante fumait et de petits insectes y grouillaient de telle façon que le corps entier semblait bouger et onduler même quand le Monstre restait immobile. Il empestait. Une puanteur de viande pourrie se répandit sur la savane. (...)

Le Monstre, dès qu'il les vit bouger, se jeta en avant en poussant un terrible cri. En quatre secondes, il couvrit une centaine de mètres. Les hommes visèrent aussitôt et firent feu. Un souffle puissant sortit de la bouche du Monstre les plongeant dans une puanteur de bave et de sang décomposé. Il rugit et ses dents brillèrent au soleil.

Les carabines tirèrent à nouveau. Le bruit se perdit dans le vacarme de tonnerre que faisait le lézard. Le levier puissant de la queue du reptile se mit en marche, balaya la terre autour de lui. Les arbres explosèrent en nuages de feuilles et de branches. Le Monstre étendit ses mains presque humaines pour étreindre les hommes, les tordre, les écraser comme des baies, les fourrer entre ses mâchoires, pour apaiser son gosier gémissant. Ses yeux globuleux étaient à présent au niveau des hommes. Ils pouvaient s'y mirer dedans. Ils firent feu sur les paupières métalliques, sur l'iris d'un noir luisant.

Comme une idole de pierre, comme une avalanche de rochers, le Tyrannosaure s'écroula. Avec un terrible bruit, arrachant les arbres qu'il

avait étreints, arrachant et tordant la Passerelle d'acier. Les hommes se précipitèrent en arrière. Les dix tonnes de muscles, de pierre, heurtèrent la terre. Les hommes firent feu à nouveau. Le Monstre balaya encore une fois la terre de sa lourde queue, ouvrit ses mâchoires de serpent et ne bougea plus. Un jet de sang jaillit de son gosier. A l'intérieur de son corps, on entendit un bruit de liquide. Ses vomissures trempaient les chasseurs. Ils restaient immobiles, luisants de sang.

Le tonnerre avait cessé.

La jungle était silencieuse. Après l'avalanche, la calme paix des végétaux. Après le cauchemar, le matin. (...)

Le Monstre gisait, montagne de chair compacte. A l'intérieur, on pouvait entendre ses soupirs et des murmures pendant que le grand corps achevait de mourir, les organes s'enrayaient, des poches de liquide achevaient de se déverser dans des cavités ; tout finissait par se calmer, par s'éteindre à jamais. Cela ressemblait à l'arrêt d'une locomotive noyée, ou à la chaudière d'un bateau qu'on a laissé s'éteindre, toutes salves ouvertes, coincées. Les os craquèrent ; le poids de cette énorme masse avait cassé les délicates pattes de devant, prises sous elle. Le corps s'arrêta de trembler.

On entendit un terrible craquement encore. Tout en haut d'un arbre gigantesque, une branche énorme se cassa, tomba. Elle s'écrasa sur la bête morte. (...)

Ils jetèrent encore un regard sur le Monstre déchu, la masse inerte, l'armure fumante à laquelle s'attaquaient déjà d'étranges oiseaux-reptiles et des insectes dorés.

Ray Bradbury,
les Pommes d'or du Soleil

Saint Louis et les poissons fossiles du Liban

Au XIIIe siècle, les grandes universités sont créées, telle la Sorbonne à Paris. Inséparable de la théologie, souvent mêlé à la magie, l'univers scientifique suscite un renouveau d'intérêt et de curiosité dont bénéficient les fossiles. Expéditions dans les pays méditerranéens, les croisades orientent la connaissance vers des domaines encore insoupçonnés.

Les gisements fossilifères du Liban sont depuis longtemps connus. C'est qu'on y a tout d'abord trouvé en abondance des poissons fossiles d'une qualité de conservation tellement étonnante qu'ils ont attiré l'attention de leurs découvreurs depuis des siècles. Le premier témoignage qu'on en ait remonte au XIIIe siècle ; il est resté célèbre dans l'histoire et la littérature françaises, car il s'agit du récit qu'en fit, en 1270, Jean, sire de Joinville, sénéchal de Champagne, compagnon et ami du roi de France Louis IX durant ses années de croisade de 1248 à 1254. Joinville décrivit, sous le titre *Livre des saintes paroles et des bonnes actions*, les faits et actions quotidiens de la vie du saint roi, témoignage capital pour la connaissance d'un être aussi complexe et hors des normes ordinaires que le fut Louis IX. Le travail de Joinville fut publié en 1547, remanié et modernisé, sous le titre *Histoire du roi Saint Louis*, œuvre aujourd'hui bien connue des historiens.

Au cours d'un séjour que Saint Louis fit à Sayette, aujourd'hui Saïda au Liban, on montra au roi la plus célèbre curiosité de l'endroit, les étonnants poissons fossiles. Voici le récit qu'en donne Joinville : « Tandis que le Roy estoit à Sayette, li apporta l'en une pierre qui se levoit par escales, la plus merveilleuse du monde ; car quand l'en levoit une escale, l'en trouvoit entre les deux pierres la forme d'un poisson de mer. De pierre estoit le poisson ; mais il ne falloit riens en sa fourme, ne yex, ne areste, ne couleur, ne autre chose que il ne feust autre tel, comme s'il feust vif. Le Roy manda une pierre, et trouva une tanche dedans, de brune couleur et de tele façon comme tanche doit estre. » Ce récit est l'un des très rares documents de l'époque médiévale sur un tel sujet, et il est très précisément daté et localisé.

C'est seulement un siècle plus tard qu'on reparlera de ces fameux poissons. Un voyageur français, Balthasar Monconys, mentionne ces pierres sur lesquelles « est empreinte la figure d'un poisson, avec la tête, les ailerons et la couleur ». Trois siècles après, en 1660, un autre Français, Laurent d'Arvieux, en parlera à son tour dans ses mémoires et rappellera les querelles qui s'élevaient alors au sujet de ces trouvailles fossiles : jeux de la nature ou reliques du déluge.

En 1708, le naturaliste Scheuchzer représentera pour la première fois les beaux poissons fossiles du Liban dans son fameux ouvrage *Piscium querelae et vindiciae*, plaintes des poissons victimes du déluge ! On y reconnaît des spécimens provenant du gisement de Hakel. Six ans plus tard, Corneille Lebrun, dans son *Voyage au Levant*, figure un spécimen du riche gisement de Sahel Alma et parle de ceux de Tripoli dans un chapitre intitulé « Pierres dans lesquelles il paraît des ressemblances de poissons ». Du XIIIe au XVIIIe siècle, les opinions n'ont guère progressé !

C'est seulement au XIXe siècle que Ducrotay de Blainville fera la première description scientifique et donnera des noms aux poissons ; depuis lors, les études scientifiques se sont multipliées. L. Agassiz, en 1838, décrit et figure plusieurs espèces dans un livre aux illustrations célèbres pour leur beauté.

Les faunes fossiles du Liban sont d'une richesse extraordinaire. Vieux de 80 millions d'années (Sahel Alma), et de 100 millions d'années (Hakel et Hadjula), on trouve dans ces

gisements, outre les poissons, des crustacés, oursins, vers, insectes, etc. dans un état de conservation qui permet d'avoir de ces êtres une connaissance très approfondie ; l'apport scientifique qui en résulte est considérable. Quant aux poissons, leur étude permet de mieux comprendre l'origine de certaines formes actuelles, du golfe du Mexique aux mers du Japon, limites extrêmes de la « Méditerranée » de l'époque, lorsqu'ils étaient vivants.

Yvette Gayrard-Valy

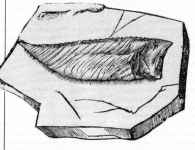

Le génie intuitif de Léonard de Vinci

Esprit universel, Léonard de Vinci ne pouvait manquer de s'intéresser aux fossiles. S'appuyant sur une observation rigoureuse des couches de terrain, il va prendre la première position scientifique sérieuse, réfutant catégoriquement toutes les opinions de son époque.

Toutes les argiles marines contiennent des coquilles, et les coquilles pétrifiées font corps avec l'argile. Considérant leur dureté et leur unité, certains affirment que ces animaux furent emportés en des lieux éloignés de la mer par le déluge. D'autres personnes non instruites déclarent que la Nature, ou le Ciel, les ont créés sur place par des influences célestes, comme si en ces mêmes lieux on n'avait pas également trouvé des os de Poissons ayant mis longtemps à croître, et comme si nous n'étions à même de mesurer sur les coquilles des clovisses et des escargots leurs périodes de croissance, comme on le fait sur les cornes des taureaux et des bœufs.

Et si vous disiez que ces coquilles furent créées, et de façon continue, en tels endroits par la nature du lieu même et l'influence que peuvent y avoir les cieux, une telle opinion ne peut demeurer dans un cerveau ayant quelque raison ; parce qu'ici nous trouvons (marquée par des lignes) la croissance annuelle enregistrée sur ces coquilles, parce que l'on voit des coquilles, grandes ou petites, qui n'ont pu s'accroître sans nourriture, et n'ont pu se nourrir sans se mouvoir – et qu'ici elles ne pouvaient se   déplacer. (...)

Quant à ceux qui disent que les coquilles existent depuis longtemps et ont été formées loin de la mer par le jeu de la nature du lieu et des saisons, pouvant provoquer un certain lieu à produire de telles créatures, – à ceux-là on doit répondre : qu'une telle influence ne peut mettre en place des animaux tous à un même niveau, si ce n'est ceux de même sorte et de même âge ; et non les vieux avec les jeunes, ni ceux qui ont un opercule et ceux qui n'en ont pas, ni certains brisés et d'autres entiers, ni certains emplis de sable marin et de fragments petits et grands, d'autres coquilles dans les coquilles entières demeurant ouvertes ; ni des pinces de crabes sans le reste du corps, ni les coquilles d'espèces adhérant à d'autres comme si des animaux s'étaient déplacés sur eux, laissant les empreintes de leurs sillages à l'extérieur comme le font les vers du bois qu'ils dévorent. On ne trouverait pas non plus, parmi ces animaux, les os et les dents de Poissons que certains nomment « flèches », d'autres « langues de serpents » ni ne découvrirait-on réunis autant de débris d'animaux divers s'ils n'avaient été rejetés sur les rivages marins.

Sur la présence des coquilles dans la montagne

Et si vous disiez que la Nature a formé les coquilles dans les montagnes par l'action des constellations, comment expliqueriez-vous que ces dernières créent des coquilles d'espèces diverses et d'âges différents dans ces mêmes lieux ?

Sur les feuilles

Comment expliquerez-vous les innombrables feuilles d'espèces différentes, pétrifiées dans les roches de hautes montagnes, et les algues mêlées aux coquilles et au sable ? Et semblablement vous verrez toutes sortes de pétrifications, réunies à des fragments de crabes marins, mêlées à ces coquilles.

Extraits du manuscrit de la Bibliothèque de Leicester, British Museum

Bernard Palissy et la passion de la nature

Un siècle après Vinci, Bernard Palissy fut l'un des grands précurseurs de la paléontologie moderne, tirant de ses observations minutieuses les mêmes conclusions que Léonard, dont il ignorait le manuscrit. Palissy resta pourtant méconnu jusqu'au XVIIIᵉ siècle. Buffon, puis Cuvier furent parmi les premiers à lui rendre hommage. En 1880, ses œuvres furent publiées, préfacées et annotées par Anatole France.

La vase et les coquilles ont changé de nature, par une mesme vertu et par une mesme cause efficiente. J'ay prouvé ce poinct devant mes auditeurs, en leur faisant monstre d'une grande pierre que j'avois fait couper à un rocher près de Soubize, ville limitrophe de la mer :

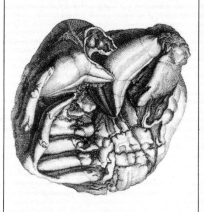

lequel rocher avoit esté autrefois couvert de l'eau de mer, et auparavant qu'il fut réduit en pierre, il y avoit un grand nombre de plusieurs espèces de poissons armez, lesquels estans morts dedans la vase, après que la mer a esté retirée de ceste partie là, la vase et les poissons se sont pétrifiez. La chose est certaine que la mer s'est retirée de ceste partie là (...).

Et par ce qu'il se trouve aussi des pierres remplies de coquilles, jusques au sommet des plus hautes montagnes, il ne faut pas que tu penses que lesdites coquilles soyent formées, comme aucuns disent que nature se joue à faire quelque chose de nouveau. Quand j'ay eu bien près regardé aux formes des pierres, j'ay trouvé que nulle d'icelles ne peut prendre forme de coquille ni d'autre animal, si l'animal mesme n'a basti sa forme (...) j'ay fait

Albula Diluviana ex Landgraviatu Hassiæ in lapide fissili...

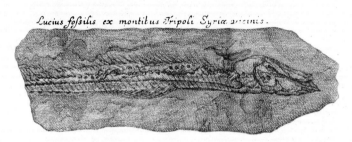

Lucius fossilis ex montibus Tripoli Syriæ vicinis.

plusieurs figures de coquilles pétrifiées qui se trouvent par milliers és montagnes des Ardennes, et non seulement des coquilles, ains aussi des poissons qui ont esté pétrifiez avec leurs coquilles. Et pour mieux faire entendre que la mer n'a point amené lesdites coquilles au temps du déluge (...).

Il faut donc conclure que auparavant que cesdites coquilles fussent pétrifiées, les poissons qui les ont formées, estoyent vivans dedans l'eau qui reposoit dans les réceptacles desdites montagnes et que depuis l'eau et les poissons se sont pétrifiez en un mesme temps, et de ce ne faut douter. Es montagnes desdites Ardennes se trouvent par milliers des moules pétrifiées, toutes semblables à celles qui sont vivantes dans la rivière de la Meuse, qui passe près desdites montagnes (...) ayant tousjours

cherché en mon pouvoir de plus en plus les choses pétrifiées, enfin j'ay trouvé plus d'espèces de poissons ou coquilles d'iceux, pétrifiées en la terre, que non pas des genres modernes qui habitent en la mer Océane.

Bernard Palissy,
Discours admirables,
« Des Pierres »

Les Époques de la nature

Le 5 août 1773, Buffon prononçait, dans le salon de l'académie de Dijon, un audacieux discours sur les époques de la nature. Le texte en fut imprimé cinq ans plus tard et déclencha les foudres des théologiens de la Sorbonne. Buffon, alors âgé de 73 ans, fut obligé de quitter Paris en novembre 1779, en espérant que l'affaire n'aurait pas de suite fâcheuse.

Sur l'âge de la Terre

Par la comparaison que nous avons faite de la chaleur des planètes à celle de la Terre, on a vu que le temps de l'incandescence pour le globe terrestre a duré deux mille neuf cent trente-six ans ; que celui de sa chaleur, au point de ne pouvoir le toucher, a été de trente-quatre mille deux cent soixante-dix ans, ce qui fait en tout trente-sept mille deux cent soixante-dix ans ; et que c'est là le premier moment de la naissance possible de la Nature vivante.

Première Époque
« Lorsque la Terre et les planètes ont pris leur forme »

Sur l'âge de la Vie

Ce n'est pas trop étendre le temps nécessaire pour toutes ces grandes opérations et ces immenses constructions de la Nature, que de compter vingt mille ans depuis la naissance des premiers coquillages et des premiers végétaux. (...)
     La durée du temps pendant lequel les eaux couvraient nos continents a été longue ; l'on n'en peut pas douter en considérant l'immense quantité de productions marines qui se trouvent jusqu'à d'assez grandes profondeurs et à de très grandes hauteurs dans toutes les parties de la Terre. Et combien ne devons-nous pas encore ajouter de durée à ce temps déjà si long, pour que ces mêmes productions marines aient été brisées, réduites en poudre et transportées par le mouvement des eaux, et former ensuite les marbres, les pierres calcaires et les craies ! Cette longue suite de siècles, cette durée de vingt mille ans, me paraît encore trop courte pour la

Reconstitution d'un paysage au temps des origines de la vie sur la Terre, période qu'on imaginait toujours remplie de phénomènes violents et catastrophiques.

succession des effets que tous ces mouvements nous démontrent.

Troisième Époque
« Lorsque les eaux ont couvert nos continents »

La Terre
avant l'apparition de la Vie

Qu'on se représente encore l'aspect qu'offrait la Terre (...) à quarante-cinq ou soixante mille ans de sa formation. Dans toutes les parties basses, des mares profondes, des courants rapides, et des tournoiements d'eau ; des tremblements de terre presque continuels, produits par l'affaissement des cavernes et par les fréquentes explosions des volcans, tant sous mer que sur terre ; des orages généraux et particuliers ; des tourbillons de fumée et des tempêtes excitées par les violentes secousses de la terre et de la mer ; des inondations, des débordements ; des déluges occasionnés par ces mêmes commotions ; des fleuves de verre fondu, de bitume et de soufre ravageant les montagnes et venant dans les plaines empoisonner les eaux ; le Soleil même presque toujours offusqué non seulement par des nuages aqueux, mais par des masses épaisses de cendres et de pierres poussées par les volcans, et nous remercierons le Créateur de n'avoir pas rendu l'homme témoin de ces scènes effrayantes et terribles, qui ont précédé, et pour ainsi dire annoncé la naissance de la Nature intelligente et sensible.

Quatrième Époque
« Lorsque les eaux se sont retirées et que les volcans ont commencé d'agir »

Buffon,
les Époques de la nature

Les tribulations du Grand Animal de Maëstricht

Lorsqu'on le mit au jour, on retrouva de lui une énorme tête, et des mâchoires impressionnantes armées de fortes dents recourbées et pointues. Tiré de 65 millions d'années de repos et d'incognito, il connut une célébrité immédiate et devint un objet de convoitise violemment disputé. Ce fossile superbe orne aujourd'hui la galerie de paléontologie du Muséum national d'histoire naturelle de Paris.

Énorme reptile marin carnassier, hôte de la mer de la craie, le Grand Animal, mort et enfoui dans la vase depuis la fin de l'ère secondaire, ne devait se faire connaître qu'au beau milieu du XVIIIᵉ siècle, tout près de la ville de Maëstricht. Définitivement exondé, le fond de la mer formait désormais le sol des Pays-Bas.

Un réseau inextricable de galeries souterraines

En ce milieu du XVIIIᵉ siècle, Maëstricht est une cité prospère établie sur la rive droite du fleuve. Pietersberg (la Montagne de Saint-Pierre) est une grosse colline toute proche de la ville. Elle est couronnée par un fort qui domine et défend la cité, tant du côté de la campagne que de celui du fleuve. La masse principale de la colline est constituée de calcaire de craie-tuffeau, de couleur ocre jaunâtre à gris verdâtre. Cette roche, qui se coupe avec une grande facilité, est néanmoins assez solide pour former des pierres de taille. Toute la colline et une partie de la région sont depuis longtemps exploitées en carrières souterraines et creusées d'un réseau inextricable de longues galeries.

La Montagne de Saint-Pierre présente sur un de ses flancs une grande excavation naturelle, creusée au-dessus de la vallée du Jaar, jolie petite rivière affluent de la Meuse. De nombreuses

Le « Grand Animal » tel que l'imaginait le géologue Faujas de Saint-Fond, quand le fossile fut envoyé au Muséum de Paris.

galeries partent de cette ouverture. C'est dans l'une d'elles qu'un beau jour de 1770 des ouvriers occupés à extraire des blocs de pierre, à « 500 pas environ de la grande entrée », reconnurent soudain des restes d'ossements encastrés à mi-hauteur dans la paroi. Cela ne les étonna pas outre mesure ; ce n'était pas la première fois qu'on extrayait de la carrière des restes bien étranges. Mais cette découverte-là dépassait toutes les autres par sa taille et sa nature ; d'énormes dents pointues apparaissaient, implantées dans de terribles mâchoires.

Joies et déboires du docteur Hoffmann

Les ouvriers suspendirent leurs travaux et coururent prévenir le docteur Hoffmann. Cet excellent homme avait la passion de collectionner tous les fossiles de la Montagne, et l'on prenait soin de l'avertir chaque fois qu'on trouvait quelque belle pièce. Celle-ci, la plus grosse qu'on y eût jamais trouvé, fit accourir Hoffmann. Toutes les précautions furent prises pour obtenir la tête intacte ; la pierre, très tendre, menaçait de s'effriter, et l'on dut découper un gros bloc pour obtenir une masse solide par son volume. Hoffmann lui-même travailla plusieurs jours pour façonner le bloc, le faire arriver hors des carrières, et enfin pour le transporter chez lui en triomphe. L'événement fit grand bruit dans Maëstricht, et toute la bonne société de la ville et des alentours voulut voir la tête de cet animal inconnu, auquel on ne savait quel nom donner ; on l'appela

donc tout simplement le Grand Animal de Maëstricht. La maison du docteur

Hoffmann vit défiler savants et naturalistes de toutes espèces, qui discutèrent longuement sur cet étrange rescapé des catastrophes du globe.

Le Grand Animal était déjà célèbre. Il l'était même trop car le brûit de sa renommée parvint jusqu'aux oreilles des chanoines du chapitre de la cathédrale. L'un d'eux, le chanoine Godin, se trouvait être le propriétaire du morceau de terrain au-dessous duquel était située la carrière ; la notoriété du docteur Hoffmann et de son gros fossile lui causa de l'humeur, d'autant plus que la réputation de cette magnifique pièce lui donnait une valeur certaine. S'appuyant sur une loi féodale, le chanoine se mit en devoir de réclamer l'objet qu'on avait découvert sur son territoire. Hoffman défendit son fossile avec courage et Godin entreprit immédiatement de lui faire un procès. L'affaire devint sérieuse, le chapitre tout entier s'en mêla, et son crédit l'emporta. Le pauvre Hoffmann perdit son Grand Animal et paya tous les frais de la procédure. Il en fut si désespéré qu'il en oublia peu à peu son goût pour les sciences naturelles et finit par disperser ses collections ; les plus beaux fossiles de la Montagne de Maëstricht allèrent ainsi orner les cabinets de curiosité d'Allemagne et de Hollande.

Quant au chanoine Godin, laissant les remords aux juges pour leur mauvaise décision, il devint l'heureux et tranquille propriétaire de cette pièce unique en son genre. Il plaça le fossile comme une relique dans une espèce de grande châsse vitrée, et le déposa dans une petite maison de campagne qu'il possédait au pied de la Montagne de Saint-Pierre. Les curieux et les étrangers furent admis à le voir. Les aventures du fossile étaient loin d'être terminées.

Quand la Révolution
se mêle de paléontologie

Durant l'été de 1794, les armées de la Révolution française pénétrèrent en Hollande, repoussant les Autrichiens. Les batailles furent violentes, et au début de 1795 les Français mirent le siège devant Maëstricht. La ville résista, le fort Saint-Pierre fut bombardé. La maison du chanoine se trouvait près du fort. Les armées étaient accompagnées de commissaires scientifiques, qui eurent connaissance de l'existence du fossile et en informèrent le général. Ce dernier ordonna sur-le-champ à l'artillerie de cesser son tir dans la direction de la maison du chanoine. Mais celui-ci, non moins prévoyant et ne se doutant pas des attentions des républicains pour sa maison, fit transporter de nuit et en secret l'énorme bloc pour le cacher dans la ville même, où la situation était plus calme.

Tout alla bien jusqu'au moment où la place, ne pouvant plus se défendre, fut obligée de capituler. Les commissaires scientifiques se précipitèrent chez le chanoine Godin, pour constater que le crâne avait disparu sans laisser la moindre trace. Furieux, ils firent appel au représentant du peuple, Freicine. Comme le général tenait à l'affaire, on réunit tous les soldats, et Freicine promit à ceux qui découvriraient la cachette du Grand Animal une récompense de six cents bouteilles d'excellent vin, à condition, bien entendu, que le fossile arrivât en bon état.

Une promesse aussi extraordinaire eut un effet immédiat. Dès le lendemain, douze grenadiers apportèrent en triomphe le crâne dans la maison de Freicine. Quant au chanoine, il ne pouvait dire mot devant les vainqueurs. Pour le dédommager du cadeau qu'il était forcé de faire, on l'exempta de la contribution de guerre que ses confrères, les autres chanoines, furent obligés de payer. Il fut décidé que cette pièce remarquable serait envoyée à Paris et y serait estimée par les savants, et que sa valeur serait remboursée à son ancien propriétaire. Godin jeta un dernier regard sur son trésor, qu'il ne devait plus jamais revoir. Ce qui n'était que justice, car il avait autrefois dépouillé sans scrupule le pauvre Hoffmann. Celui-ci ne devait jamais apprendre le sort glorieux réservé à son fossile, car il était mort, et toute sa famille avait quitté Maëstricht.

Un genre particulier de reptile saurien

Le Grand Animal allait enfin connaître sa dernière aventure. Le bloc de pierre était si gros et si lourd − il pesait « près de 600 livres » − qu'on le rogna de partout ; puis on l'encastra dans un solide châssis en bois tenu par des boulons de fer. Enfin, on l'envoya sous bonne escorte à Paris.

La nature du fossile avait suscité depuis longtemps des controverses. Les maxillaires supérieurs étaient fracturés ; les maxillaires inférieurs, désarticulés et déplacés de leur position naturelle, suggéraient que l'animal, mort dans l'eau, avait probablement été charrié, peut-être dépecé. Le tout était accompagné de plusieurs vertèbres et de quelques autres morceaux d'os.

Le célèbre anatomiste hollandais Camper crut tout d'abord qu'il s'agissait d'un cétacé d'une espèce totalement inconnue. A Paris, cette opinion fut réfutée, et on en fit un crocodile d'une espèce nouvelle. Mais, là encore, les avis furent très partagés. D'ailleurs, quatre ans après la découverte, une seconde mâchoire avait été dégagée et envoyée au British Museum de Londres. Cuvier enfin l'étudia et publia le détail de ses observations dans la première édition des *Ossements fossiles* (tome IV, 5ᵉ partie), sous le nom de « Animal fossile de Maëstricht ». Pour lui ce n'était ni un poisson, ni un cétacé, ni un crocodile, mais « un genre particulier de reptile saurien ». Appliquant son principe de la corrélation des formes, Cuvier conclut que l'animal tout entier devait avoir 23 pieds de long, avec une queue de 10 pieds, robuste et large comme une rame, lui permettant de se propulser dans des eaux agitées ; c'était un animal marin. Y voyant un genre inconnu de reptile totalement disparu de nos jours, Cuvier le baptisa *Mosasaurus*, le « Saurien de la Meuse », témoin non pas du déluge biblique, mais d'une des catastrophes du globe, qui avait « enseveli tout pêle-mêle ».

On connaît aujourd'hui de nombreux restes de mosasaures, gigantesques reptiles marins dépassant 8 m de long, qui ne vécurent qu'au crétacé supérieur, peuplant toutes les mers, remplaçant les plésiosaures et les ichtyosaures décadents. Le récit des aventures du premier spécimen découvert fut rédigé en détail par Faujas de Saint-Fond dans un gros ouvrage intitulé *Histoire naturelle de la Montagne Saint-Pierre de Maëstricht*, paru durant l'an VII de la République française.

Aujourd'hui, les tribulations du Grand Animal de Maëstricht sont terminées, et l'on a tout le loisir de l'admirer paisiblement dans la galerie de paléontologie du Muséum national d'histoire naturelle de Paris, en évoquant la mémoire de son infortuné premier propriétaire, le seul sans doute qui ait su jeter sur ce magnifique reste un regard désintéressé et ingénu, où l'émerveillement primait sur la curiosité savante et l'intérêt méticuleux des spécialistes.

Extraits de l'article
de Yvette Gayrard-Valy,
Monde et Minéraux

Le « catastrophisme » de Cuvier

Pour Cuvier, les catastrophes qu'avait subies la Terre n'étaient pas une hypothèse, mais des faits bien réels qu'il croyait pouvoir prouver par des observations rigoureuses. Il conclut à la « nécessité de certaines interruptions dans l'échelle des êtres », pensant trouver là un « principe sûr et démontré ». Ce dogme eut ses partisans opiniâtres, tout autant que ses détracteurs acharnés et enfin victorieux.

Lorsque le voyageur parcourt ces plaines fécondes où des eaux tranquilles entretiennent par leur cours régulier une végétation abondante, et dont le sol, foulé par un peuple nombreux, orné de villages florissants, de riches cités, de monuments superbes, n'est jamais troublé que par les ravages de la guerre et par l'oppression des hommes puissants, il n'est pas tenté de croire que la nature ait eu aussi ses guerres intestines, et que la surface du globe ait été bouleversée par des évolutions successives et des catastrophes diverses ; mais ses idées changent dès qu'il cherche à creuser ce sol aujourd'hui si paisible, ou qu'il s'élève aux collines qui bordent la plaine. (...)

Les traces des révolutions deviennent plus imposantes quand on s'élève un peu plus haut, quand on se rapproche davantage du pied des grandes chaînes. (...)

Ainsi la mer, avant de former les couches horizontales, en avait formé d'autres, qu'une cause quelconque avait brisées, redressées, bouleversées de mille manières. Il y a donc eu aussi au moins un changement dans le sein de cette mer qui avait précédé la nôtre ; elle a éprouvé aussi au moins une catastrophe. (...)

Lorsque de pareils changements s'opéraient dans la nature du liquide général, il était bien difficile que les mêmes animaux continuassent à y vivre. Aussi ne le firent-ils point. Leurs espèces, leurs genres mêmes, changent avec les couches. (...)

Et ces irruptions, ces retraits répétés (des eaux), n'ont point été lentes, ne se sont point faites par degrés ; la plupart des catastrophes qui les ont amenées ont été subites. (...) La vie a donc souvent été troublée sur cette Terre par des événements

terribles ; calamités qui, dans les commencements, ont peut-être remué dans une grande épaisseur l'enveloppe entière de la planète, mais qui depuis sont toujours devenues moins profondes et moins générales. Des êtres vivants sans nombre ont été les victimes de ces catastrophes ; les uns ont été détruits par des déluges, les autres ont été mis à sec dans le fond des mers subitement relevé ; leurs races même ont fini pour jamais, et ne laissent dans le monde que quelques débris à peine reconnaissables pour le naturaliste. (...)

Je pense donc, avec MM. Deluc et Dolonnieu, que s'il y a quelque chose de constaté en géologie, c'est que la surface de notre globe a été victime d'une grande et subite révolution, dont la date ne peut remonter beaucoup au-delà de 5 à 6 000 ans ; que cette révolution a enfoncé et fait disparaître les pays qu'habitaient auparavant les hommes et les espèces d'animaux aujourd'hui les plus connues ; qu'elle a, au contraire, mis à sec le fond de la dernière mer, et en a formé les pays aujourd'hui habités ; que c'est depuis cette révolution que le petit nombre des individus épargnés par elle se sont répandus et propagés sur les terrains nouvellement mis à sec, et par conséquent que c'est depuis cette époque seulement que nos sociétés ont repris une marche progressive, qu'elles ont formé des établissements, élevé des monuments, recueilli des faits naturels, et combiné des systèmes scientifiques.

Cuvier apporte néanmoins une restriction à des causes aussi radicales de changement de faunes :

Au reste, lorsque je soutiens que les bancs pierreux contiennent les os de plusieurs genres, et les couches meubles ceux de plusieurs espèces qui n'existent plus, je ne prétends pas qu'il ait fallu une création nouvelle pour produire les espèces aujourd'hui existantes, je dis seulement qu'elles n'existaient pas dans les mêmes lieux et qu'elles ont dû venir d'ailleurs.

Recherches sur les ossements fossiles,
« Discours préliminaire »

Un paléontologue français découvre la Bohême

Au milieu du XIXᵉ siècle, un ingénieur français, Joachim Barrande, part pour la Bohême. Il y découvre des fossiles d'une beauté et d'un intérêt exceptionnel. Il va les étudier durant un demi-siècle, en édifiant une œuvre paléontologique monumentale et irremplaçable.

Pour le géologue et le paléontologue, le sous-sol de la Bohême présente un intérêt exceptionnel : les terrains datant du début de l'ère primaire ou paléozoïque renferment des fossiles remarquables, tant par leur originalité que par leur quantité et la qualité de leur conservation. Les terrains de Bohême sont devenus une référence pour l'étude stratigraphique et paléontologique de cette période. Leur étude approfondie est due à un Français qui y consacra toute sa vie, accomplissant là une œuvre scientifique à jamais célèbre dans le monde entier.

Joachim Barrande est né en 1799 dans un village de Haute-Loire. De famille aisée, il fait ses études à Paris. Sorti premier de l'École polytechnique, puis de l'École des ponts et chaussées en 1824 avec le titre d'ingénieur civil, il se passionne aussi pour les sciences naturelles et suit les cours de Cuvier, Brongniart et d'Orbigny. D'abord nommé ingénieur à Decize, il est alors présenté à Charles X, qui est séduit par ses connaissances de mathématiques et de sciences ; le roi le choisit pour être précepteur de son petit-fils Henri de Chambord. Barrande suit désormais les Bourbons dans leur exil en 1830, d'abord en Écosse où il rencontre le géologue britannique Roderick J. Murchison, puis en Bohême où l'empereur d'Autriche les accueille. En 1832 la famille royale s'installe à Prague. Alors commence pour Barrande un séjour qui durera jusqu'à sa mort, soit durant 51 ans ! Sa qualité de précepteur du prince Henri le met en contact avec les hommes de science tchèques, dont le

Joachim Barrande
(1799 – 1883)

fondateur du musée de Bohême. Barrande voit des collections de fossiles de la région, et se met lui aussi à collectionner et à étudier les fossiles des environs de Prague. La famille royale quitte la Bohême en 1833, mais Barrande y reste et redevient ingénieur civil, au service des chemins de fer de Bohême. C'est au cours de la construction d'une voie ferrée qu'il découvre l'abondance et l'intérêt des fossiles contenus dans les terrains paléozoïques traversés (notamment des Trilobites, arthropodes disparus depuis 25 millions d'années). La véritable vocation de Barrande était née.

A partir de 1840, il parcourt toute la Bohême, étudie la structure des terrains, établit la succession détaillée des couches, et rassemble une extraordinaire collection de fossiles qu'il étudie avec la plus grande précision. En 1846, il publie à Leipzig son premier ouvrage sur les fossiles et les terrains paléozoïques de Bohême. L'été de 1847, il prospecte en compagnie des célèbres paléontologues Murchison et de Verneuil. Il séjourne aussi souvent à Paris où il possède sa propre maison. Enfin il visite les grands gisements paléozoïques de France, d'Espagne, d'Angleterre, d'Allemagne, de Scandinavie, et entretient partout de nombreuses relations amicales et scientifiques.

En 1852, il publie le premier tome de son œuvre maîtresse : *Système silurien du centre de la Bohême* ; il y aura en tout 24 volumes superbement illustrés, qui paraîtront à Prague entre 1852 et 1894 (les derniers à titre posthume). Barrande y décrit plus de 4 500 espèces fossiles ! La somme de ses informations constitue, encore aujourd'hui, une source de références géologiques et paléontologiques largement utilisées sur le plan international. Il publie par ailleurs sur quantité de sujets géologiques et paléontologiques. Barrande édite son œuvre lui-même, à l'aide de dons et de souscriptions que lui attire, de toute part, l'admiration suscitée par l'intérêt exceptionnel et la qualité de ses recherches.

Universellement considéré comme un savant de premier ordre, Barrande resta toute sa vie un royaliste convaincu, d'une moralité austère et d'une honnêteté scrupuleuse, n'acceptant aucune distinction officielle des régimes qui succédèrent à Charles X. Il n'adhéra jamais aux idées évolutionnistes que Darwin, son contemporain, répandit parmi les scientifiques dès 1859. Barrande resta un « créationniste » obstiné, fidèle à la théorie du « catastrophisme » de Cuvier. Mais, contradiction géniale, ses travaux renferment une telle quantité d'informations précises sur les espèces successives du Paléozoïque inférieur de Bohême qu'ils apportent – bien involontairement ! – une des plus importantes contributions à la doctrine du transformisme.

Sentant venir la vieillesse, Barrande lègue en 1881 ses magnifiques collections au musée de Prague où elles sont actuellement exposées, et où elles continuent à être étudiées, témoignant l'amour qu'il portait à sa patrie d'adoption. Il mourut en octobre 1883. En hommage à ce grand savant, les géologues tchèques ont baptisé « bassin Barrandien » les terrains du Paléozoïque inférieur qu'il a décrits si brillamment, tandis que son nom était donné à tout un quartier de Prague qui s'appelle aujourd'hui Barrandov.

Yvette Gayrard-Valy

Albert Gaudry fouille à Pikermi

Il y a plus d'un siècle, le jeune Albert Gaudry découvrait à la fois la Grèce et la paléontologie. Ce fut pour lui un coup de foudre. La vie de celui qui fut à la fois l'aventurier et l'apôtre de la paléontologie était désormais définitivement orientée. Et le gisement de Pikermi célèbre dans le monde entier.

Le gisement de Pikermi est situé dans l'Attique, à quatre heures de marche au nord-est d'Athènes et à deux heures de la mer d'Eubée. On s'y rend par la nouvelle route de Marathon. (...) On laisse la route sur la droite pour se diriger vers le mont Pentélique et, après un quart d'heure, on arrive à un torrent qui descend de cette montagne. Les uns le nomment le torrent de Draphi, (...) d'autres l'appellent torrent de Pikermi. (...) La nature qui l'entoure est des plus sauvages ; mais là, comme dans toute l'Attique, les horizons présentent de magnifiques panoramas. (...) Ces montagnes de marbre, blanches, nues, n'offrent point d'ombrage aux voyageurs, mais elles empruntent aux rayons du soleil des teintes éclatantes qui leur donnent une incomparable beauté. (...) Le torrent est bordé par des lauriers-roses, des arbousiers et plusieurs grands arbres. Ses profonds escarpements mettent à jour des limons rouges endurcis, qui alternent avec des cailloux roulés : les ossements fossiles sont rassemblés dans ces limons. (...)

Mes fouilles de 1855-1856 ont eu lieu en hiver ; j'étais gêné par l'eau du torrent. Aussi, en 1860, j'ai voulu faire mes excavations pendant les mois de l'année les plus brûlants ; le torrent avait si peu d'eau qu'il a été facile de la détourner ; j'ai trouvé de cette manière mes plus belles pièces. Mais l'intensité de la chaleur a rendu l'exploitation très pénible, et la plupart de mes ouvriers ont été atteints par les fièvres intermittentes.

J'ai établi mon campement dans la métochi (amas de quelques cabanes) de Pikermi. Pour avoir les plus vulgaires provisions, le pain même, il fallait envoyer un homme à Athènes. J'avais apporté des lits de campagne.

Une tente et une cabane me servaient d'abri. Le ministre de la Guerre de Grèce avait bien voulu me donner pour ma garde des gendarmes, hommes excellents dont je ne peux trop faire l'éloge. Le temps de mes premières fouilles a coïncidé avec l'époque où la Grèce était livrée au brigandage. (...) Nous étions sans cesse sur le qui-vive. Mais nous fûmes quittes pour quelques coups de feu envoyés hors de portée. En 1860, la tranquillité était parfaitement rétablie.

Notre temps de campement n'a pas été exempt de souffrances : la chaleur, les insectes, la nécessité de se lever avec l'aurore et souvent de supprimer la sieste au milieu du jour, l'entourage de pauvres ouvriers qui à mon service étaient venus prendre les fièvres, tout cela jetait quelques ennuis sur le séjour de Pikermi. Et pourtant, l'avouerai-je, aujourd'hui revenu dans notre bonne France, quand je me rappelle ma tente éclairée par les rayons du soleil de Grèce, le ciel d'un azur sans nuage, les montagnes de marbre aux belles silhouettes et la mer de Marathon, qui scintillait dans le lointain, je me sens presque un regret de n'être plus au pied du Pentélique !

D'ailleurs, après des heures de souffrances, nous avions des moments de plaisir ; la rencontre d'un fossile inconnu venait souvent nous redonner du courage. Le soir de chaque journée signalée par une découverte importante, nous avions une petite fête ; on apportait une outre de vin résiné et du miel de l'Hymette ; quelquefois même on allait abattre les branches d'un vieux pin et l'on faisait rôtir un mouton à la pallicare, c'est-à-dire un mouton entier comme au temps d'Homère. Quand le vin avait répandu la gaîté, ouvriers, bergers et gendarmes entouraient les débris du foyer ; ils entonnaient de vieux refrains albanais, puis les uns se mettaient à danser pendant que les autres frappaient dans leurs mains pour marquer la cadence. Si un voyageur égaré au pied du Pentélique eut aperçu alors notre campement, il eût cru voir une ronde de faunes survivant aux temps de la mythologie grecque.

Albert Gaudry,
Animaux fossiles et géologie de l'Attique,

Le Diplodocus : hôte prestigieux du Muséum

Le Muséum national d'histoire naturelle de Paris possède dans sa galerie de paléontologie le moulage de la première reconstitution qui a été faite du Diplodocus.

En 1983 dernier a été célébré au Muséum le soixante-quinzième anniversaire de l'arrivée de cet énorme cadeau qu'offrait au peuple français l'industriel et mécène américain Andrew Carnegie. Son arrivée eut un grand retentissement. Des milliers de Parisiens vinrent faire sa connaissance dans la belle galerie nouvellement construite.

Le Diplodocus et sa famille

Le Diplodocus est le plus long Dinosaure dont on possède un squelette complet. Mesurant 27 mètres, il devait peser plus de 10 tonnes, soit deux fois le poids d'un éléphant. Son cou de 8 mètres porte une minuscule tête dont le cerveau ne devait pas être plus gros qu'une orange. Longues et fines, ses dents sont disposées en râteau à la partie antérieure des mâchoires. La queue de 14 mètres, très mince à son extrémité, formait un énorme fouet constitué de 80 vertèbres. Cet énorme corps est soutenu par quatre pattes constituant de véritables colonnes. Les membres postérieurs sont terminés par cinq doigts dont les trois premiers sont munis de griffes ; les membres antérieurs, un peu plus courts, ne possèdent qu'une griffe à l'extrémité du pouce.

Cet animal fait partie de la famille des Sauropodes qui ne comprend que des quadrupèdes herbivores. Les Sauropodes sont les plus gros animaux que la Terre ait portés. (...)

C'est durant la période jurassique que les grands Sauropodes atteignirent leur apogée. Le Crétacé vit leur déclin, avec des formes plus modestes.

Histoire d'un monstre

Les premiers restes du Diplodocus – un membre postérieur et des vertèbres caudales – furent découverts en 1877 par S.W. Williston près de Canyon City, dans le Colorado. En se basant sur la structure particulière des chevrons que portent ventralement les corps vertébraux de la région moyenne de la queue, Marsh baptisa les restes de ce grand reptile : Diplodocus, d'après *diplo*, double et *docos*, poutre. Dans ce

Photo prise dans la galerie de paléontologie du Muséum, avant l'inauguration. Au centre, le professeur Holland, directeur du Carnegie Museum, à gauche, Marcellin Boule, professeur de paléontologie au Muséum.

Montage du squelette du Diplodocus en 1908, dans la galerie de paléontologie du Muséum; le travail est effectué sous la direction du professeur Holland et de son assistant, venus des U.S.A.

complète en 1901. Il baptisa l'animal gigantesque *Diplodocus carnegiei* en l'honneur de Andrew Carnegie. Ce mécène fut si fier qu'un aussi splendide squelette porte son nom qu'il en fit faire un moulage en plâtre et le donna en présent à l'Angleterre, pays dont il était originaire. Le roi Édouard VII en personne l'inaugura au British Museum.

Après l'Angleterre, les musées d'histoire naturelle de Berlin, Francfort, Bologne, Vienne, La Plata et Mexico reçurent également un moulage. L'exposition de ce gigantesque squelette dans tous les musées contribua grandement à la renommée des Dinosaures. (...) On peut avoir des doutes sur l'exactitude des anciennes reconstitutions des Dinosaures : le squelette du Diplodocus est composé de plus de 310 os appartenant à plusieurs individus...

Son arrivée à Paris

Albert Gaudry, le plus illustre détenteur de la chaire de paléontologie, lutta près d'un quart de siècle pour que soit créée au Jardin des Plantes une galerie de paléontologie digne du Muséum. Dans son idée, elle devait être assez longue pour que le public puisse suivre les grandes étapes de l'évolution du monde animal : à l'entrée, les plus anciens Invertébrés des temps primaires ; ensuite les grands Reptiles du Secondaire ; puis les Mammifères et les Oiseaux du Tertiaire ; enfin l'époque quaternaire, marquée par l'arrivée de l'homme.

même gisement, S.W. Williston et M.P. Felch mirent au jour quelques années plus tard un crâne associé à un atlas appartenant peut-être au même individu.

Les nombreux restes de deux squelettes, découverts en 1899 et 1900, furent extraits de la carrière de Sheep Creek dans le Wyoming, grâce à Andrew Carnegie qui finança les expéditions. Une reconstitution composite à partir des restes de ces trois individus fut alors entreprise au Carnegie Museum de Pittsburgh. Ce Diplodocus trône encore aujourd'hui dans une des salles du musée, sa queue démesurée s'allongeant sur un socle de plus de 11 mètres de long.

Le professeur Hatcher du Carnegie Museum en fit la description

La galerie fut inaugurée en 1898 ; la foule des Parisiens s'y pressa aussitôt ; le premier dimanche, 11 000 visiteurs furent comptés ! Seul l'Iguanodon, du haut de ses 3,15 mètres, accueillait les visiteurs dans l'espace réservé aux grands Reptiles secondaires.(...)

En 1903, Edmond Perrier, directeur du Muséum, et Marcellin Boule, nouvellement nommé à la chaire de paléontologie, apprirent que le musée Carnegie préparait un moulage du Diplodocus destiné au British Museum. Aussitôt ils proposèrent aux paléontologues de Pittsburgh quelques modestes Mammifères du Tertiaire européen en échange d'un moulage de ce monstre américain. Les négociations traînèrent ;

Arrivée du président de la République Armand Fallières, pour l'inauguration de la cérémonie officielle célébrant l'installation du moulage du Diplodocus au Muséum.

puis, en 1907, le professeur Holland, directeur du Carnegie Museum, informa Edmond Perrier qu'Andrew Carnegie avait l'intention d'offrir un Diplodocus à la France : « Ce sera un cadeau symbolique de l'amitié sincère que le peuple américain porte au peuple français. »

Trente-quatre caisses contenant les pièces du Diplodocus traversèrent l'Atlantique par le bateau à vapeur *Savoie* et arrivèrent au Havre le 12 avril 1908. Les précieux colis étaient accompagnés par le professeur Holland et son assistant qui venaient diriger les opérations de montage. Par manque de place dans la galerie, Marcellin Boule demanda que la queue soit présentée recourbée pour réduire de 3 mètres la longueur du socle. (...)

Enfin, le 15 juin 1908 le Diplodocus fut inauguré en grande pompe dans la monumentale galerie de paléontologie. Le président Fallières vint en personne lui souhaiter la bienvenue ; mais, devant ce très long reptile à l'allure si étrange portant un nom si bizarre, il manqua d'éloquence... Les chansonniers s'emparèrent de l'affaire et bientôt tout le monde chanta, sur l'air de « Y n' répondit rien, rien, rien », *la Visite au Diplodocus* de Georges Baltha :
« Lorsque l'on apprit à Monsieur Fallières
Qu'il était venu de l'autre hémisphère
Un très grand fossile antédiluvien,
Y n' répondit rien, rien, rien.
Mais en entendant nommer ce fossile,
Le Diplodocus – Quel nom difficile !
Fit le Président, répétez-le-moi
Le Diplodo... quoi ? quoi ? quoi ? »
Un dîner paléontologique fut servi au pied du squelette : une bisque d'écrevisses y était devenu un potage d'« Eyron », une selle de veau, une selle d'« Entelodon ».

Extraits de l'article de Monette Véran,
Phytotherapy, n° 8,
décembre 1983

La fossilisation, jeu de la matière et du temps

Appelée depuis des siècles « pétrification », la fossilisation a peu à peu dévoilé sa complexité et ses mécanismes. C'est un ensemble de phénomènes bio-physico-chimiques très complexes, transformant les organismes morts en conservant à jamais leur apparence.

Tronc de saule silicifié datant du Tertiaire (- 35 millions d'années). Les stries d'accroissement et les canaux de bois de printemps et d'automne se distinguent parfaitement.

Qu'est-ce qu'un fossile ?

Un organisme mort est devenu fossile quand sa matière organique disparue est remplacée par des composés minéraux : il est littéralement pétrifié.

Cela nécessite des conditions exceptionnelles :

– L'organisme mort doit être rapidement enfoui dans du sable, de la vase, du limon... Sinon il se désagrège. Un milieu très favorable : le fond des mers et des lacs. Résultats : les fossiles d'organismes aquatiques sont beaucoup plus abondants et mieux conservés que ceux d'organismes terrestres (mais les steppes et les déserts sont aussi très favorables).

– Il ne doit pas y avoir (ou très peu) de décomposition, mais remplacement progressif de la matière organique par des composés minéraux.

– Enfin, pour qu'un fossile se conserve des millions d'années comme tel, il faut qu'il ne subisse aucun accident géologique : ni plissement des terrains, ni chaleur interne, qui le détruiraient. Les gisements fossilifères sont donc localisés dans les bassins sédimentaires calmes, de préférence aux régions montagneuses perturbées.

Que reste-t-il des êtres vivants ?

Les végétaux se transforment en lignite, charbon, par une décomposition particulière de la matière végétale. Parfois les tiges et feuilles ne laissent qu'une empreinte minéralisée dans la roche. Certains troncs d'arbres se silicifient entièrement. La résine se transforme en ambre.

Chez les animaux il ne reste le plus souvent que les tissus de soutien : test des micro-organismes, squelette des polypiers, valves des coquilles, carapaces des arthropodes, thèque des échinodermes, écailles de poissons, squelette des vertébrés, coquilles d'œufs.

La substance minérale d'origine (carbonate de chaux ou silice) est conservée, ou remplacée par des minéraux divers : silice, gypse, pyrite, marcassite, hématite, bitume, etc.

La cellulose se conserve quelquefois : spores végétales, ou microfossiles piégés dans les silex de la craie.

Des parties très délicates sont entièrement conservées : antennes, pattes et ailes des insectes, plumes, étamines des fleurs.

Les structures les plus fines restent intactes : nacre des coquilles, canaux du bois, ornementation des grains de pollen, des écailles de poissons, tubercules de dents minuscules, microstructures des polypiers.

On utilise pour les observer le microscope électronique à balayage avec des grossissements atteignant parfois 80 000.

Les parties molles se conservent très exceptionnellement. On ne trouve parfois que des empreintes, le fossile lui-même ayant disparu. Ou encore, le fossile est détruit et il ne reste que son remplissage interne.

Les excréments fossiles des vertébrés sont parfois connus : on les appelle coprolithes. Ils renseignent sur l'alimentation de l'animal (carnivore ou herbivore). Les traces de pas et de pistes sont relativement fréquentes dans certains gisements.

Un cas extrême de conservation est celui des mammouths et des rhinocéros laineux congelés dans les glaces de Sibérie depuis des dizaines de millénaires. Ces fossiles « en chair et en os » sont très fragiles et se décomposent quand ils sont rendus à des conditions normales.

Yvette Gayrard-Valy

Grenouille « momifiée » en phosphate de chaux, datant de l'Oligocène (-35 millions d'années).

Coupe transversale de *Conoceras*, nautile fossile du Jurassique (-170 millions d'années).

Fins calices de *Diploastrea*, polypier qui constituait un récif corallien du Miocène (-15 millions d'années) trouvé dans les Landes (France), alors recouvertes par une mer tropicale.

Inflorescence de benettitale, arbuste du Jurassique (-170 millions d'années).

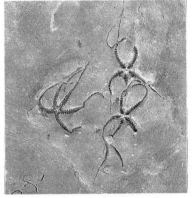

Délicates ophiures piégées dans des vases du Dévonien (-380 millions d'années).

P*seudocidaris*, oursin du Jurassique (-150 millions d'années) encore muni de ses gros piquants, cas rarissime de conservation.

Merveilleusement conservée, *Aeger*, une crevette du Trias (-210 millions d'années), est fossilisée dans les calcaires lithographiques de Solnhofen (Allemagne).

Feuille de « fougères à graines », végétaux du Carbonifère (-320 millions d'années).

Plumes d'oiseau de l'Oligocène (-30 millions d'années) de l'Allier (France).

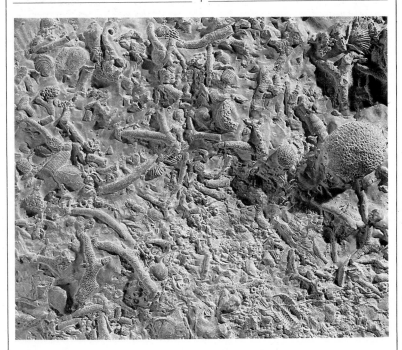

Calcaire fossilifère à invertébrés provenant de Dudley (Angleterre). Depuis le Silurien (-415 millions d'années), les plus délicates structures et ramifications des organismes sont conservées et parfaitement reconnaissables.

Feuille de peuplier du Miocène d'Allemagne, vieille de 20 millions d'années ; elle a conservé toutes ses nervures et, sur les bords, une partie de sa cuticule.

Le rôle de la paléontologie

Carrefour entre les sciences de la terre et les sciences de la vie, la paléontologie utilise les connaissances de ces deux domaines, auxquels elle apporte en retour des informations et des arguments essentiels. Elle est très étroitement liée avec toutes les disciplines naturalistes.

Stromatolite calcaire édifié par des algues unicellulaires au Précambrien (- 2 500 millions d'années). Au Sahara, les stromatolites couvrent des dizaines de kilomètres carrés.

Mesurer le temps géologique

Concevoir la durée des temps géologiques a mis des siècles à se préciser dans l'esprit humain. Les fossiles ont joué un rôle essentiel quand on sut enfin les situer correctement dans l'histoire de la Terre. En 1830, Charles Lyell établit une relation entre l'âge des couches géologiques sédimentaires (ou strates) et les fossiles inclus dedans. Certaines espèces ne se rencontrent que dans des terrains bien déterminés ; on les appelle « fossiles marqueurs ». Ils servent de repères pour comparer, à des distances parfois considérables, l'âge des strates : celles qui contiennent les mêmes fossiles ont le même âge. De plus, la succession des différents fossiles permet de reconstituer l'ordre chronologique du dépôt des strates.

Tout ceci a permis d'établir une échelle stratigraphique internationale, essentiellement basée sur la présence dans telles strates de tels fossiles marqueurs. Mise au point il y a un siècle, cette échelle est utilisable en n'importe quel point du globe.

Calculer l'âge des terrains en milliers ou en millions d'années se fait au moyen d'analyses particulières (les analyses isotopiques), qui mesurent la radioactivité naturelle contenue dans les éléments chimiques du sol. Ces éléments sont ceux des minéraux et des fossiles. Ainsi ce type de mesures permet de dater le début du Primaire à 600 millions d'années, et l'apparition de la vie à 3 800 millions d'années !

Reconstituer les milieux et les paysages du passé

Sur le terrain le géologue relève de nombreux indices lui permettant de savoir si les couches sédimentaires ont été marines ou continentales, plissées et

Proche parent des ammonites qui, elles, ne vécurent qu'au Mésozoïque, le nautile a traversé des millions d'années sans pratiquement évoluer : c'est un fossile vivant. Celui-ci, dessiné au siècle passé, est présenté à l'envers : en réalité les bras propulsent l'animal dans l'eau, la coquille s'enroulant au-dessus.

comment, etc. Quant aux fossiles, leur observation minutieuse dans les gisements donne de précieuses indications sur la façon dont ils ont vécu, dans quelles conditions, comment ils sont morts, se sont accumulés, puis fossilisés. En laboratoire on arrive même, grâce aux fossiles, à retrouver les conditions de température, salinité, profondeur, composition chimique du milieu marin d'origine, variations climatiques. Les spores, pollens et autres restes végétaux permettent de constituer les paysages.

Confirmer la dérive des continents

Lorsqu'en 1912 Alfred Wegener émit sa célèbre hypothèse sur la dérive des continents, il s'appuyait, entre autres, sur la forme de ces continents qui semblent s'emboîter les uns aux autres, sur des observations géologiques, et sur la découverte de végétaux et de vertébrés fossiles identiques sur des continents séparés. Bien des arguments, aujourd'hui, plaident en faveur de la mobilité des « plaques continentales » dérivant, tels d'immenses radeaux. Les faunes et les flores fossiles permettent d'en dater les épisodes : les fossiles identiques sur deux continents ? Ceux-ci étaient jointifs à l'époque ; des fossiles différents ? Ces continents étaient séparés ; des faunes marines qui se mélangent ? Un détroit s'ouvre. On reconstitue dès lors les géographies passées (c'est la paléogéographie), dans lesquelles viennent se replacer végétaux et animaux.

Déchiffrer les origines de la vie

Rechercher quand et comment la vie est apparue sur terre est une des plus passionnantes énigmes que la paléontologie aide à résoudre. Les plus anciennes formes vivantes furent des bactéries primitives, identifiées sous forme de microscopiques cellules arrondies, visibles au microscope dans des lames minces de roches précambriennes. Les plus anciennes sont datées de 3,8 milliards d'années ! Il y a 3,5 milliards d'années, on les trouve vivant en colonies et édifiant des monticules minéraux (les stromatolites), en milieu marin, sans oxygène et presque sans lumière. Vers 2,5 milliards d'années, des bactéries et des algues bleues unicellulaires vivent en dégageant de l'oxygène (les stromatolites calcaires sont abondants) ; cet oxygène va commencer à se dégager dans l'atmosphère.

Il y a 1,5 milliard d'années, apparaissent des organismes unicellulaires évolués (cellule à noyau véritable) : on les reconnaît à leur grosseur et leur forme plus complexe ; ce sont d'abord des algues. Enfin des organismes formés de plusieurs cellules apparaissent vers − 680 millions d'années ; ce sont des sortes de vers et de méduses, sans squelette ; on en connaît de nombreux, exceptionnellement conservés. Les premiers animaux à squelette sont connus il y a 570 millions d'années. La vie est désormais en plein épanouissement.

Voir le déroulement de l'évolution

L'évolution est la caractéristique de la vie. Les formes vivantes, échelonnées dans le temps, se transforment en devenant de plus en plus complexes. Mais cette évolution est très lente, et ce sont les fossiles qui nous permettent d'en connaître toutes les étapes, particulièrement en nous faisant découvrir des « formes intermédiaires ». Le plus célèbre est l'*Archaeopteryx*, premier oiseau connu, qui possède encore des caractères de reptile. En Amérique du Sud, Afrique du Sud, Asie et Russie, on connaît de très étranges « reptiles mammaliens », êtres d'apparence aberrante, possédant des caractères qu'on retrouvera chez les mammifères, et qui sont totalement éteints au milieu du Secondaire.

Les constatations sont parfois étonnantes. C'est le cas des convergences de forme entre des êtres de groupes très différents à des époques très éloignées : poissons (très anciens), reptiles marins (tous fossiles), oiseaux plongeurs et mammifères (récents). Ou encore l'adaptation au vol chez les oiseaux, les reptiles (fossiles) et les mammifères.

On remarque un curieux accroissement de la taille dans l'évolution de certains groupes : c'est le cas spectaculaire des dinosaures.

On constate enfin que certaines formes ont très peu évolué au long des dizaines de millions d'années : on les retrouve aujourd'hui, isolées mais quasiment inchangées. C'est le cas du ginko, bel arbre rescapé du Carbonifère, de la linnule, venue tout droit du Cambrien, du nautile, son contemporain marin, du coelacanthe, soi-disant disparu du Crétacé... et de très nombreux autres. On leur a donné le nom de « fossiles vivants ».

Yvette Gayrard-Valy

ÉCHELLE DES TEMPS GÉOLOGIQUES			
MILLIONS D'ANNÉES (M.A.)	QUATERNAIRE		
1,9			
	CÉNOZOÏQUE ou TERTIAIRE	PLIOCÈNE	HOMINIDÉS
5,3			
		MIOCÈNE	
23			
		OLIGOCÈNE	
35			
		ÉOCÈNE	
54			
		PALÉOCÈNE	ÉPANOUISSEMENT DES MAMMIFÈRES
65			
	MÉSOZOÏQUE ou SECONDAIRE	CRÉTACÉ	PLANTES À FLEURS
135			
		JURASSIQUE	OISEAUX REPTILES TERRESTRES, MARINS, VOLANTS AMMONITES PREMIERS MAMMIFÈRES
195			
		TRIAS	PREMIERS DINOSAURES
235			
	PALÉOZOÏQUE ou PRIMAIRE	PERMIEN	
290			
		CARBONIFÈRE	FORÊT HOUILLÈRE INSECTES
340			
		DÉVONIEN	AMPHIBIENS POISSONS
400			
		SILURIEN	PLANTES TERRESTRES
440			
		ORDOVICIEN	POISSONS CUIRASSÉS
500			
		CAMBRIEN	INVERTÉBRÉS À SQUELETTE
570			
	PRÉ-CAMBRIEN	PROTÉROZOÏQUE	INVERTÉBRÉS MOUS
2500			
		ARCHÉEN	TRACES D'ORGANISMES
4600			

Des pas
dans la pierre

*Les plus émouvants
témoignages de la vie sont
certainement les empreintes
de pas fossiles, traces
fragiles de l'activité vitale,
piégées sur le vif et
miraculeusement
conservées. Leur étude a
reçu le nom un peu barbare
de paléoichnologie. Son
développement a surtout été
le fait de nombreux auteurs
anglo-saxons.*

Les empreintes de pas sont connues depuis fort longtemps, surtout celles des grands Vertébrés tels les dinosaures. Elles ont été durant des siècles attribuées à des géants antédiluviens. Leur reconnaissance se faisant peu à peu, on découvrit alors nombre de traces moins spectaculaires, d'animaux plus petits, telles des salamandres, des traces de reptation avec la queue ou le ventre, et également des terriers et galeries, des tubes construits par des mollusques, des pontes, des traces de nutrition, trous et perforations variées, sillons laissés par des vers, fines stries des pattes d'arthropodes, etc.

Comment cela peut-il se conserver ? Il est nécessaire que le sol soit mou ; ces traces décèlent donc l'existence d'anciens rivages, de marécages, de zones plus ou moins inondées. Il faut ensuite que la vase où est passé l'animal se soit desséchée, durcie, avant qu'une autre couche vienne la recouvrir. Il faut enfin que les sédiments ne subissent aucune déformation. Après la transformation en roche, schiste, marne ou grès, les deux couches restent différenciées, et lorsqu'on les extrait, se séparent à nouveau, faisant réapparaître

Naïvement interprétées, ces traces fossiles de pattes ont été dessinées au XIXe siècle ; on les attribuait alors à des animaux antédiluviens .

Empreintes des pas d'un gros dinosaure quadrupède herbivore, dans le Crétacé du Maroc occidental, imprimées dans la vase lacustre, transformée depuis en roche.

l'observation méthodique dans l'étude et l'interprétation des traces. Un même animal laisse des traces très différentes selon qu'il marche lentement, qu'il court, qu'il saute. Un Amphibien à queue (salamandre, triton) peut marcher sur un bord de marécage, nager et toucher le fond, etc. Pour essayer d'interpréter ce qu'on trouve sur les roches, il faut observer des animaux vivants qu'on pense relativement semblables, les faire marcher sur du plâtre frais par exemple, ou de l'argile molle.

Les conclusions sont très délicates à tirer quant à la nature exacte de l'animal qui est passé par là il y a des dizaines, voire des centaines de millions d'années (on connaît des traces datant du Paléozoïque, soit quelque trois cents millions d'années). Parfois plusieurs pistes se croisent, se mêlent, témoignant une intense activité animale à cet endroit. Mais si l'on ne peut guère connaître l'identité précise de son auteur, une trace renseigne néanmoins sur le groupe systématique auquel il appartient (par exemple certaines familles de dinosaures et non d'autres). On a une estimation du gabarit et du poids de l'animal, de son allure générale. On obtient aussi des renseignements sur la nature du sédiment, donc du sol qu'il était autrefois, plus ou moins inondé, et du tracé éventuel du rivage.

C'est à l'aide des signes aussi fragiles et furtifs, recoupant et complétant les observations méthodiques et précises faites sur d'autres restes plus fiables, qu'une reconstitution valable peut être tentée d'un passé à jamais disparu, mais encore déchiffrable.

l'empreinte. On retrouve des pistes sous forme de positifs (pas en creux) ou de négatifs (pas en bosses) naturels. De façon curieuse un gisement peut abonder en pistes, alors que les restes osseux sont extrêmement rares.

L'intuition et même l'imagination viennent relayer

Yvette Gayrard-Valy

Dans les forêts houillères

Qui n'a évoqué les étranges et immenses forêts qui, englouties depuis quelque trois cents millions d'années, ont donné naissance aux couches de houille ? Leurs « arbres » sont aujourd'hui bien connus.

Les forêts houillères sont fréquemment représentées lorsqu'on évoque les paysages

On découvre les empreintes des fougères carbonifères dans les schistes noirâtres intercalés entre les couches de houille.

Le Carbonifère est une époque géologique fameuse entre toutes ; c'est une des périodes les plus importantes des temps fossilifères. En Europe, de grandes surfaces continentales vont, sous un climat très pluvieux, se couvrir d'immenses forêts marécageuses, aux végétaux gigantesques et luxuriants.

disparus des temps géologiques. Les végétaux en sont bien connus, et la forêt elle-même est un univers magique où l'homme laisse vagabonder son imagination.

Les géants du paysage sont les Lépidodendrons ; leurs grosses racines se tordent dans le sol vaseux ; leurs énormes troncs, d'un mètre de diamètre, verticaux et ronds comme des colonnes, atteignent 40 mètres de haut, couronnés par un large parasol de feuillage. Leurs proches voisins sont les Sigillaires, portant à plus de 30 mètres de haut un énorme plumeau de longues feuilles pointues. L'écorce de ces étranges végétaux montre de grosses cicatrices foliaires simulant des écailles de poisson (d'où le nom de Lépidodendron).

Cette futaie gigantesque est encombrée par les Calamites, sortes de prêles géantes d'une dizaine de mètres de hauteur, dont les troncs massifs portent une succession de larges collerettes de feuilles fines et pointues, insérées sur des nœuds (comme pour les Bambous).

Une autre famille végétale rivalise avec les précédentes : celle des Cordaïtales, toutes arborescentes, d'un port semblable à celui des Araucarias ; leur tronc élancé de 30 à 40 mètres de haut est couronné par de longues feuilles rubannées.

Quant aux Fougères, les plus connues de toute cette étrange flore, ce sont de véritables arbres de 10 mètres de haut, dont les troncs (ou stipes), assez grêles, montent droit, sans branches, les larges feuilles finement découpées y étant directement insérées. Ces feuilles tombent en laissant autour du tronc un manchon épais.

Toutes les Fougères n'en sont pas de véritables ; une grande variété d'entre elles sont des « fougères à graines », ou Ptéridospermales, et leurs feuilles, extraordinairement découpées, ressemblent à s'y méprendre aux premières. Ces végétaux, aujourd'hui complètement disparus, sont hauts de 3 à 4 mètres, à allure d'arbustes ou de lianes, et leurs troncs peuvent atteindre 50 centimètres de diamètre.

Cette végétation luxuriante rend la forêt inextricable, étouffante. Les troncs sont enracinés dans un sol spongieux, laissant souvent la place à d'immenses marécages. Une inquiétante faune y grouille : innombrables araignées, mille-pattes énormes (50 centimètres !), insectes de toutes espèces... Les blattes y pullulent, tandis que des libellules géantes (70 centimètres d'envergure) bourdonnent dans l'air lourd.

D'étranges animaux se traînent sur le bord des marécages : ce sont des Amphibiens, les premiers Vertébrés à pouvoir respirer hors de l'eau, les premiers à marcher avec leurs quatre membres sur la terre ferme, les premiers à pouvoir pousser un cri... Ils ont un gros et lourd crâne osseux (on les appelle Stégocéphales , crâne en forme de toit). Ils sont très abondants, répandus partout, et laissent dans la

L'époque du Carbonifère, avec sa végétation luxuriante, évoque une sorte d'âge primitif

vase de nombreuses empreintes de leurs pattes, qu'on retrouvera... trois cents millions d'années plus tard !

Que sont devenues ces immenses forêts ?

Leur sol n'était pas stable : le continent s'enfonçait par à-coups, lentement mais sûrement. Les forêts tout entières se sont englouties dans la vase pendant des millions d'années. Les énormes troncs, les racines, les magnifiques feuilles se sont fossilisées de façon étonnante, et on les a retrouvés en abondance, ce qui permet de si bien les connaître aujourd'hui.

Souvent la matière végétale a été profondément décomposée, elle a fermenté dans l'eau ; plus rien n'y est reconnaissable : c'est devenu de la houille.

Yvette Gayrard-Valy

privilégié de la Terre avant le Déluge. Au XIXᵉ siècle, on en a donné de nombreuses reconstitutions où des végétaux étranges se perdent à l'infini sur des marécages immobiles.

La vallée de l'Omo, « livre ouvert » sur trois millions d'années

La basse vallée de l'Omo est située dans le sud-ouest de l'Ethiopie. Cette région est célèbre pour ses vestiges paléontologiques exceptionnels, flore, faune, et hominidés accompagnés de leurs outils.

Les sédiments de l'Omo, où sont intercalées de nombreuses couches de cendres volcaniques, sont d'âge pléistocène (fin Tertiaire-début Quaternaire), datant de moins d'un million d'années à plus de quatre millions d'années. Ils sont épais de plus de 1 000 mètres et, basculés, affleurent par leur tranche qui correspond à une durée de trois millions d'années.

Les gisements paléontologiques y ont été découverts par une expédition d'explorateurs français, en 1902. La première mission paléontologique y a été dirigée en 1932 par le professeur Camille Arambourg, du Muséum national d'histoire naturelle. Une

expédition internationale y travaille depuis 1967.

Ils contiennent toutes les sortes de restes paléontologiques possibles : ossements de Vertébrés, coquilles, bois, pollens, etc., associés à des restes d'hominidés fossiles et à leurs outils (les plus vieux du monde). La méthode des isotopes radioactifs a permis de donner une série exceptionnelle de datations absolues. Les gisements de l'Omo étant ainsi les gisements les mieux étalonnés sur la durée la plus longue et la plus continue sont devenus les gisements de référence pour la période qu'ils représentent.

L'équipement nécessaire aux fouilles de la mission internationale est considérable. Il a fallu traverser les montagnes de l'Ouganda, ainsi que plusieurs rivières, avec des tonnes d'essence et des vivres pour plusieurs mois de fouilles, construire une piste d'atterrissage près du camp.

La richesse paléontologique exceptionnelle des lieux a permis peu à peu de reconstituer l'environnement d'il y a deux millions d'années dans la vallée de l'Omo ; on a pu y reconnaître les conditions climatiques, et même, par endroits, la forme du terrain.

Yvette Gayrard-Valy

Reconstitution de l'environnement de la vallée de l'Omo. C'est un paysage de savane tropicale où vivent, parmi une faune très variée d'herbivores, des australopithèques, premiers hominidés est-africains.

Une expédition paléontologique moderne : l'expédition française de 1969 au Spitzberg

Sous la direction du professeur J.-P. Lehman, du Muséum national d'histoire naturelle de Paris, une vingtaine de chercheurs français quittèrent Le Havre le 25 juin 1969, pour y revenir deux mois et demi plus tard, en ayant recueilli vingt-trois tonnes d'un matériel fossile exceptionnel. Les scientifiques eurent recours à des moyens techniques puissants, tels un bateau brise-glace et deux hélicoptères.

En 1968, le Centre national de la recherche scientifique (CNRS) décidait d'organiser une expédition paléontologique au Spitzberg en vue de récolter sur le terrain des fossiles (principalement des vertébrés). Ce pays dépourvu d'arbres présente en effet de très grandes surfaces d'affleurement de roches et de nombreux éboulis dans lesquels le paléontologue peut trouver des pièces abondantes et précieuses ; d'autre part, malgré de très nombreuses expéditions paléontologiques, on n'avait pas recherché les fossiles sur une grande partie du terrain.

Un précieux auxiliaire : l'hélicoptère

Il fallait pouvoir se déplacer facilement dans un pays totalement dépourvu de routes ; les pertes de temps consécutives au transport devaient être réduites au minimum, car l'été dure peu au Spitzberg. Certes, dans le Spitzberg central, le soleil ne se couche pas du 20 avril au 23 août, mais on ne peut guère commencer à travailler que vers la fin du mois de juin à cause de la neige et du froid et, dès septembre, les conditions météorologiques deviennent en général assez mauvaises. On dispose donc d'un temps assez court pour les fouilles, d'où la nécessité de pouvoir transporter facilement chercheurs et matériel de camping et d'employer de nombreux fouilleurs. Le

Hélicoptère au travail au-dessus de l'Isfjord, au Spitzberg, pour le transport du matériel de l'expédition paléontologique française. Des moyens techniques puissants sont indispensables pour réaliser un travail efficace dans le minimum de temps.

Centre national de la recherche scientifique, tenant compte de ces impératifs, mit donc à notre disposition un bateau brise-glace norvégien, le *Norsel* (le « Phoque du Nord ») – sur lequel fut construite une plate-forme pour l'atterrissage des hélicoptères – et deux hélicoptères Alouette avec leur personnel. Grâce à ces moyens modernes, les déplacements et le portage des fossiles sont considérablement facilités. Le professeur Stensiö, qui fut un des grands pionniers de la paléontologie au Spitzberg, ne disposait que d'un petit voilier lors de ses premières expéditions, pendant la guerre de 1914-1918 ; il fallait alors une journée pour franchir la vallée de la Sassen. En hélicoptère, la même traversée dure seulement cinq minutes. L'expérience a montré que l'hélicoptère est un instrument de prospection des plus précieux pour les paléontologues.

L'expédition comprenait une vingtaine de chercheurs et d'étudiants, appartenant à l'Institut de paléontologie du Muséum et aux universités de Montpellier et de Poitiers ; ils se groupaient par quatre pour les recherches sur le terrain. Le professeur Jarvik, du Muséum d'histoire naturelle de Stockholm, grand spécialiste des faunes de poissons dévoniennes, s'était joint à nous.

En 1964, une première mission de reconnaissance nous permit de recueillir un matériel de poissons et de stégocéphales assez riche ; elle nous convainquit également qu'il serait scientifiquement beaucoup plus rentable d'organiser une grande expédition bien pourvue en moyens de transport et en chercheurs, et ne durant qu'un été, plutôt que de faire des expéditions annuelles à équipement plus modeste et à personnel moins nombreux. Cette politique semble effectivement la meilleure : nous avons rapporté vingt-trois tonnes de fossiles, dont l'étude demandera certainement plusieurs années.

Icebergs et renoncules polaires

Le Spitzberg comprend un certain nombre d'îles. Les Norvégiens appellent *Svalbard* l'ensemble de ces territoires, nom d'origine islandaise employé dès le XIᵉ siècle et qui signifie étymologiquement que le pays a des côtes froides. Le Spitzberg occidental a une surface de 39 000 km² : c'est la partie la plus intéressante pour le paléontologue à cause de la richesse et de la variété des formations sédimentaires. Longyearbyen, la ville principale, est aussi septentrionale que Thulé, dans le nord du Groenland. Mais les conditions météorologiques, à cause du Gulf Stream, sont beaucoup moins rigoureuses au Spitzberg qu'au Groenland : la température moyenne annuelle est de − 4,2° C, et le sol reste perpétuellement glacé jusqu'à une profondeur de 300 m. Il n'y a pas de calotte glaciaire continue comme au Groenland sur le Spitzberg occidental, mais les glaciers recouvrent environ les deux tiers de la surface de cette île. Le temps a été particulièrement clément durant l'été de 1969 et nous avons eu peu de neige et de brume, mais l'hiver ayant été très rigoureux, l'entrée dans le fjord de Wood encore bloqué par les glaces fut un peu difficile ; nous rencontrâmes de nouveau, à la fin de notre expédition, les icebergs dans le chenal compris entre le Spitzberg de l'Ouest et Edgeöya, c'est-à-dire dans le Storfjord.

Le milieu vivant est peu varié au Spitzberg. Il n'y a pas d'arbres, les bouleaux et les saules y sont nains (toundra). Parmi les plantes les plus connues, citons seulement la « rose des rennes » des Norvégiens, fleur à huit pétales blancs au bout d'une hampe, le pavot du Spitzberg, la renoncule polaire, le saxifrage pourpre, qui forme souvent de magnifiques tapis, etc.

La faune est pauvre : le renne appartient à une variété plus grande que le renne lapon. L'ours blanc est très rare l'été. Le morse et la baleine du Groenland sont éteints, mais les phoques sont nombreux. Le bœuf musqué a été implanté du Groenland. Le renard polaire reste assez fréquent et a visité plusieurs fois nos camps. Les oiseaux sont abondants (mergules, oies bernaches, sternes, macareux, labbes, perdrix des neiges).

Une abondante récolte de fossiles

En résumé, la récolte de végétaux fossiles représente environ deux tonnes et demie. Ces végétaux sont :

— des psilophytales ; ces plantes sont souvent parfaitement conservées, avec leurs sporanges, et même, parfois, c'est la plante tout entière qui a été fossilisée ;

— des lépidophytales ; ces premières lépidophytes dévoniennes sont en général peu distinctes, mais, dans le matériel du Spitzberg, au contraire, elles sont en très bon état, et c'est la première fois qu'un tel ensemble de plantes dévoniennes prend place dans une collection française ;

— des plantes triasiques (fougères, cycadales, bois pétrifié) ;

— des plantes tertiaires avec des prêles, des fougères, des gymnospermes (pinus, séquoia, etc.), des monocotylédones (iris, phragmites, etc.), des dicotylédones avec de nombreux arbres : peuplier, chêne, bouleau, noisetier, orme, aulne, érable et magnolia.

De magnifiques plaques toutes couvertes de feuilles fossilisées ont pu être rapportées par la mission. Ces récoltes paléobotaniques sont sans conteste les plus riches, tant par la quantité que par la qualité, parmi celles rassemblées par des chercheurs français.

Bien que l'expédition ait compris une nette majorité de paléontologues vertébristes, chaque fois que cela a été possible, des Invertébrés fossiles ont été recueillis : fusulines et brachiopodes du Permocarbonifère, tétracoralliaires du Permocarbonifère, cératites et ammonites, lamellibranches du Trias.

Une faune très abondante d'agnathes (vertébrés primitifs sans mâchoires) a été extraite du sommet du silurien, des pentes du mont Ben Nevis et du mont Pteraspis ; il s'agit d'un gisement célèbre, d'un haut lieu classique de la paléontologie des Vertébrés, et nous craignions de ne plus y trouver de fossiles intéressants : mais surtout grâce aux hélicoptères, et malgré le mauvais temps que nous eûmes dans cette région (brume et tempête), la moisson fut excellente.

Le Trias inférieur nous a permis de recueillir une trentaine de spécimens de stégocéphales très bien conservés. (Par opposition aux Amphibiens actuels, les stégocéphales constituent un groupe important d'Amphibiens très variés, qui nous révèle l'histoire de l'expansion des Tétrapodes les plus primitifs sur la terre ferme, dans les eaux douces, et même dans la mer). Nous avons découvert un crâne d'ichtyosaure en très bon état. Un squelette entier de plésiosaure a été récolté à Edgeöya, mais très fragmenté.

Extraits de l'article du professeur J.-P. Lehman, in *Atomes*, n° 274

Un équipement perfectionné adapté aux régions arctiques permet d'effectuer un travail fatigant dans des conditions physiques supportables.

Les fossiles au service de l'industrie

Que ce soit par leur nature même, par leurs particularités ou par l'énormité de leurs accumulations, les fossiles jouent un rôle capital dans la détection et l'exploitation des ressources naturelles de la planète.

Caractérisant des terrains sédimentaires bien précis, ainsi que les conditions biologiques, chimiques et physiques des milieux disparus, les fossiles sont très utilisés pour la prospection minière et pétrolière. Il s'agit essentiellement des fossiles d'Invertébrés (et surtout des innombrables coquilles dont sont littéralement bourrées les anciennes couches marines), et de micro-organismes. Leur étude intervient pour une part très importante dans la localisation des gisements de charbons, d'hydrocarbures, de fer, et quantité de minerais métallifères (cuivre, plomb, uranium, nickel, manganèse...), ainsi que des gisements de sulfures et sulfates, phosphates, gypse...

Les Foraminifères sont les fossiles-vedettes des géologues modernes. Les indications qu'ils fournissent permettent de situer les endroits où s'est localisé le pétrole, roche liquide formée par la décomposition des matières organiques contenues dans les « boues fétides », où sont venues pourrir d'énormes accumulations de végétaux microscopiques (algues, spores, pollens) et de micro-organismes marins. Le pétrole lui-même est de la matière organique fossile.

Enfin les êtres vivants sont responsables de l'édification d'une multitude de roches, extraordinairement diverses, et que leurs propriétés particulières ont destinées à des utilisations bien précises.

Décomposition de la matière végétale ensuite fossilisée, le charbon est la source énergétique minérale la plus ancienne utilisée. Le pétrole est la source énergétique moderne par excellence. L'un et l'autre sont de l'énergie fossile stockée.

Moins spectaculaires mais aussi indispensables sont les calcaires. La craie a une très large exploitation industrielle : badigeons et peintures, poudre à polir, matériau de construction (les blancs châteaux de la Loire sont en craie-tuffeau), support de caves troglodytes, enfin substance de la chaux et composant du ciment, puis du mortier. D'autres calcaires sont largement utilisés pour débiter des moellons, des pierres de taille (Paris et ses monuments en sont construits).

Les phosphates, dont le phosphore provient de la matière organique (soit dans les coquilles et les os, soit par la décomposition de matière organique et d'excréments) ont une importance énorme dans l'industrie chimique, de la fabrication des détergents à celle des produits photographiques, des engrais, des pesticides, et de bien d'autres.

Les roches siliceuses ne sont pas uniquement les beaux jaspes (évoqués ailleurs). Les diatomites (édifiées par les Diatomées) très légères, poreuses et dures, sont utilisées comme filtres (toutes les industries sucrières, pharmaceutiques et chimiques s'en servent), absorbants (fabrication de la dynamite), ou poudre à polir (le « tripoli »).

Les silex sont plus inattendus, ils sont formés de silice, très souvent d'origine organique, sécrétée (par des Radiolaires, des Diatomées, des Éponges), dissoute à leur mort, concentrée puis cristallisée. Le silex est le plus ancien matériau utilisé par l'homme, unique matériau, durant des dizaines de millénaires, de son industrie. Puis il est devenu pierre à feu, à briquet, caillou du cantonnier. Il entre dans les constructions modernes en constituant la masse principale du béton.

Yvette Gayrard-Valy

Depuis l'époque romaine, on extrait du sous-sol de Paris et de ses environs des moellons et des pierres de taille qui ont servi à édifier la plupart des maisons et des monuments de la capitale.

L'univers merveilleux de la micropaléontologie

La micropaléontologie est l'étude des êtres infiniment petits fossilisés. On pénètre avec elle dans un domaine extraordinaire et insoupçonnable. Car le phénomène de fossilisation peut respecter intégralement les plus minuscules structures, permettant jusqu'aux grossissements de 80 000 fois atteints par le microscope électronique à balayage.

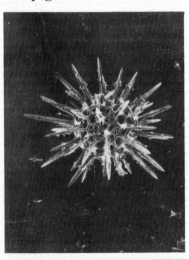

Le monde des infiniment petits est très riche ; les organismes qui le composent appartiennent les uns au règne animal, les autres au règne végétal, et constituent la majeure partie du plancton. Chaque individu est formé d'une seule cellule protégée par une sorte de coque, squelette externe qu'elle sécrète elle-même, calcaire ou siliceux, et qui subsiste seul après la mort. L'accumulation prodigieuse, durant des centaines de millions d'années, de ces microscopiques squelettes, est parvenue à former d'énormes couches de sédiments.

Les Radiolaires appartiennent au règne animal, ce sont des Protozoaires. Existant depuis le Paléozoïque, on en trouve de nos jours dans toutes les mers. Leurs squelettes sont siliceux, très durs. Après la mort des individus, ces squelettes tombent sur les fonds océaniques, où leur accumulation au cours des temps géologiques donne naissance à des roches appelées radiolarites.

On connaît plusieurs dizaines de milliers d'espèces de Radiolaires, et leur squelette offre une extraordinaire richesse de formes et d'ornementation : sphères emboîtées, prismes ornés de cornes, d'épines fourchues, formes en casques, en amphores à pied, en corbeilles, en lanternes... Les variétés sont inépuisables.

Quant aux radiolarites, elles sont dures, à grain très fin susceptible d'un beau poli. Atteignant des centaines de mètres d'épaisseur (et souvent localisées dans les chaînes de montagnes, telles les Alpes), elles sont très connues sous le nom de jaspes. Ceux-ci sont très recherchés comme pierres ornementales pour la beauté de leurs coloris : du bleu lavande au rouge brique et au brun, en passant par toutes

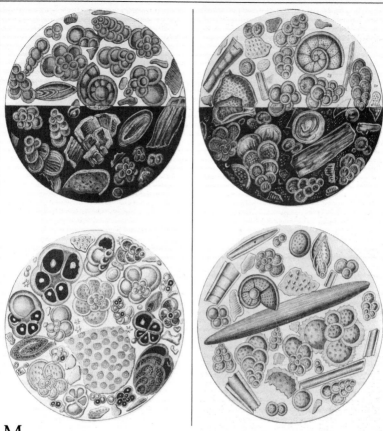

Microfossiles dessinés au XIXe siècle (in *la Terre avant le Déluge* de Louis Figuier).

les nuances de violets, de verts et de jaunes. Ils ont été très utilisés depuis l'Antiquité pour la décoration de monuments, parmi les plus célèbres : la chapelle des Médicis à Florence, l'escalier de l'Opéra de Paris. On en fait des statues, des objets décoratifs, des bijoux.

Autres êtres à microsquelettes siliceux : les Diatomées. Ce sont des algues, vivant en eau douce ou en mer.

Les plus anciennes datent du Mésozoïque. Chaque algue sécrète un frustule, sorte de coque à deux valves, d'une ornementation stupéfiante : perles, réseaux, ponctuations, épines, bâtonnets, côtes, stries parallèles ou rayonnantes se combinent pour donner naissance à de véritables bijoux. Leur pullulement conduit à la formation de vases remplis de frustules morts, qui deviennent des roches appelées

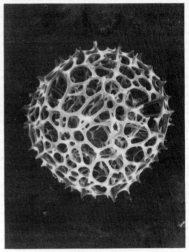

diatomites. On évalue à 500 000 milliards le nombre de Diatomées pressées dans un mètre cube de roche !

Les diatomites, qui peuvent atteindre des centaines de mètres d'épaisseur, sont blanches, généralement friables ; on les utilise comme poudre abrasive sous le nom de « tripoli ». Elles sont très légères et le dôme de la mosquée de Sainte-Sophie, à Constantinople, en est entièrement constitué.

D'autres algues unicellulaires interviennent dans la constitution d'une roche bien connue, la craie : ce sont les Coccolithophoridées, abondantes dans les mers tempérées et chaudes. Elles étaient entièrement recouvertes de leur vivant de corpuscules calcaires, les coccolithes, de formes diverses. Elles ont connu au Crétacé un développement extraordinaire, et la craie s'est déposée sur presque toute l'Europe. On évalue la quantité de coccolithes à 10 millions par millimètre cube ! On ne peut que rester confondu par la disproportion entre la taille de ces infiniment petits et l'énormité des dépôts qu'ils ont formée, et le temps nécessaire pour

Deux Foraminifères (à gauche et en bas) et un Radiolaire, du Quaternaire, photographiés au microscope électronique à balayage.

accumuler dans la « mer de craie » une telle quantité de fine boue calcaire. Dans les meilleures conditions, un mètre cube d'eau de mer contient la même quantité de Coccolithophoridées que 100 000 mètres cubes d'eau de mer.

Quant aux Foraminifères, animaux unicellulaires à coquille, ou test, généralement calcaire, leur étonnante diversité réside surtout dans la complexité de l'architecture de ce test, composé de petites loges successives. Une autre de leur

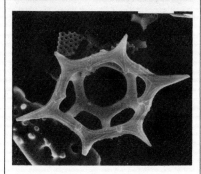

Deux Diatomées – algues microscopiques – (en haut) et un Radiolaire, du Quaternaire, photographiés au microscope électronique à balayage.

Une autre curiosité, que révèlent les observations de micropaléontologie, est la présence dans le silex de la craie, de micro-organismes planctoniques non minéralisés. Autrefois silice dissoute, puis concentrée et lentement cristallisée, les silex ont piégé, en se formant, ces micro-organismes qui se sont trouvés littéralement momifiés, et dont la matière organique, transformée mais en place, est à jamais visible. La formation des silex de la craie reste d'ailleurs plus ou moins énigmatique.

Bien d'autres groupes microscopiques sont étudiés en micropaléontologie, dont on ne peut parler ici. Mentionnons seulement, dans un domaine très différent, les spores et les pollens, parfois très abondants dans certains sédiments, dont l'identification conduit à la reconstitution des végétaux, donc des paysages des grandes étapes du passé, et par là des climats, parfois inattendus, qui se sont succédé, tout au long des millions d'années, sur notre globe.

Yvette Gayrard-Valy

singularité est dans la différence des tailles de leurs plus minuscules représentants (1 centième de millimètre) et des géants (10 centimètres) qui sont 10 000 fois plus grands ! Existant du Paléozoïque à nos jours dans toutes les mers, ils ont, eux aussi, édifié de nombreuses roches.

Certains gros d'entre eux, de formes particulières, furent pris dès l'Antiquité pour des grains de blé, des pièces de monnaie, des lentilles et donnèrent naissance à de nombreuses légendes.

Le métier de paléontologue et ses techniques

La paléontologie est sans aucun doute, parmi les disciplines naturalistes, celle qui requiert les connaissances les plus diversifiées, servies par les techniques les plus complexes. Commencée sur le terrain, la recherche paléontologique connaît son aboutissement en laboratoire.

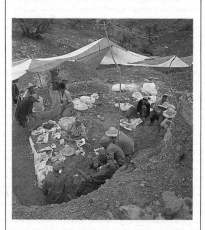

Une équipe de paléontologues fouille un gisement d'amphibiens et de reptiles du Trias, au sud du Maroc.

Puisant ses matériaux dans le sol, la paléontologie réclame d'abord du scientifique qu'il soit un homme de terrain : il prospecte, fouille, collabore avec les géologues dont il partage les connaissances de base. Ceci nécessite un certain dynamisme et une bonne résistance physique, au service d'un bon nombre de compétences techniques, lesquelles se trouvent réunies dans l'équipe chargée de la fouille.

Les techniques de terrain

La découverte de fossiles peut être le fruit du hasard : tout ce qui est prétexte à fouiller le sol peut mettre au jour des restes fossiles. Ils apparaissent parfois à l'air libre dans les roches entaillées à vif des falaises. Dans les contrées désertiques, ils peuvent affleurer à la surface du sol, décapée par les agents atmosphériques. Mais les découvertes dues au hasard étant aléatoires, on oriente la recherche des gisements paléontologiques en réunissant un maximum d'informations géologiques sur une région donnée, et en évaluant les possibilités pour les organismes de s'y être conservés. A cette première phase succède une prospection méthodique, pratiquée par une équipe réunissant géologues, sédimentologues et paléontologues. Plusieurs missions sont quelquefois nécessaires pour parvenir à localiser un ou plusieurs gisements.

Selon les fossiles extraits et la nature des terrains, les techniques de fouilles sont très diverses, et nécessitent un matériel complexe et des méthodes rigoureuses. Parvenue ensuite au laboratoire, une pièce fossile réclame un certain nombre de préparations avant d'être étudiable.

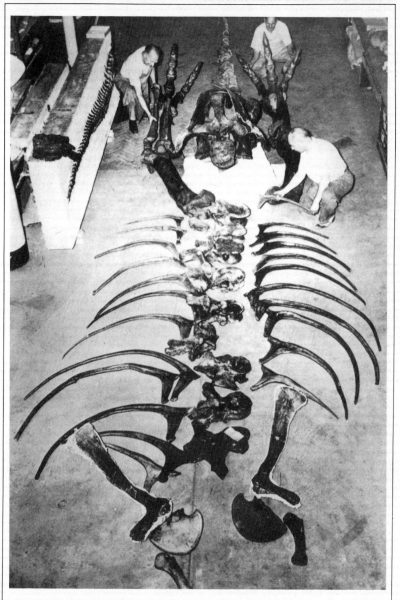

Au laboratoire, dégagement d'une grosse mâchoire à l'aide de petits instruments appropriés.

Les techniques de préparation

Un fossile risque d'être peu manipulable parce que friable ou déjà brisé ; et il est presque toujours encroûté par du sédiment.

Les grosses pièces sont dégagées en atelier. Si elles ont été plâtrées, on brise leur coffrage de protection. On attaque la gangue au burin ou au ciseau d'acier, au couteau ou au grattoir. Lorsque la gangue est mince et la pièce de dimensions réduites, le dégagement se fait à l'aide d'aiguilles d'acier, de petites fraiseuses mues électriquement, de scies et de minuscules meules sous forme de disques diamantés, de fins marteaux-piqueurs semblables à ceux utilisés pour la pyrogravure : ces opérations nécessitent beaucoup d'habileté manuelle et de patience, ainsi qu'une bonne compréhension de la pièce. Des appareils d'optique sont presque toujours nécessaires, loupe frontale ou binoculaire.

Des reliefs très fins (écailles, os dermiques) sont dégagés par des micro-jets d'abrasifs, ou dans des bacs à ultra-sons. Les gangues carbonatées sont attaquées à l'acide, à condition que le fossile soit plus résistant. La méthode nécessite beaucoup de précautions. L'acide acétique est très employé, l'acide formique également.

C'est parfois l'os fossile lui-même qu'on enlève s'il contourne des cavités anatomiques particulièrement intéressantes. On dégage ainsi des moulages naturels d'encéphales, des trajets de nerfs et de vaisseaux, de canaux semi-circulaires. Le fossile est consolidé au fur et à mesure de son dégagement par applications successives d'une dilution très fluide de colle acétonique.

Les éléments minces et fragiles (très petits squelettes, feuilles et fleurs) sont rendus manipulables et observables par inclusion dans de la résine polyester. La morphologie interne requiert des techniques très spécialisées, telle la méthode des sections sériées. Le fossile est entièrement débité au microtome en coupes de 20 μ d'épaisseur. Technique voisine, la méthode des polissages ou usures sériées (équidistants de 20 à 40 μ) qui détruit, par contre, l'échantillon au fur et à mesure.

Les structures internes très fines (Cœlentérés, Végétaux) nécessitent des préparations en lames minces de 30 μ d'épaisseur. Les microstructures sont observées en lames ultra-minces usées jusqu'à 2 μ d'épaisseur (limite de disparition à l'œil nu). Toutes ces lames minces sont examinées sous loupe binoculaire ou sous microscope, en lumière normale ou polarisée.

Les dents de Micromammifères sont chacune fixées à la colle au bout d'une aiguille montée sur un bouchon, et éventuellement moulées en résine ; ces minuscules moulages sont alors manipulés sans risque pour être examinés au microscope électronique à balayage.

Microfossiles et Végétaux

Les microfossiles sont extraits des sédiments par broyage, puis éventuellement dissolution de la gangue dans un acide, ou « flottation » d'un broyat dans l'eau, les microfossiles plus légers surnageant. Les pollens et les spores réclament des traitements identiques. Les végétaux fossiles nécessitent des techniques très spécialisées, étant donné la minceur des empreintes de feuilles, nervures, tiges.

Les techniques d'exploitation

Ce sont les techniques d'études proprement dites ; elles relèvent spécifiquement du laboratoire.

La plus élémentaire est l'observation directe : elle informe sur la nature du fossile, son état de conservation, ses dimensions, sa couleur, la nature de sa gangue, etc. Les appréciations du paléontologue entrent directement en jeu, et le coup d'œil du spécialiste se doit de percevoir un maximum de détails ; le don d'observation est fondamental.

Les appareils d'optique, loupes et microscopes, sont indispensables. L'observation des cavités nécessite l'emploi de fibres optiques. Le microscope électronique à balayage (MEB) est indispensable pour l'examen des structures externes très fines et des micro-organismes. L'état de conservation des structures fossiles autorise des grossissements atteignant parfois 80 000 !

La photographie est nécessaire à tous les stades de préparation d'un fossile, et un laboratoire de paléontologie s'adjoint un équipement photographique complet. On procède à des prises de vues en noir et blanc, en couleur, à des grossissements divers, en macro ou microphotographie, en stéréophotographie. Les lumières les plus diverses sont utilisées, ultraviolet et infrarouge compris.

La radiographie est une technique courante. Elle permet de repérer un fossile dans un bloc de gangue ; elle renseigne sur la morphologie interne d'un échantillon (cavités, racines des dents...). Les lames minces sont examinées au microscope optique.

Enfin un fossile est dessiné. Cela nécessite de le soumettre à une série de mensurations minutieuses, étape indispensable de son étude, et qui intervient dans sa comparaison avec des formes fossiles identiques ou voisines. Le dessin soit schématise, soit accentue volontairement un détail important, soit précise un modelé, soit reconstitue des parties manquantes.

L'étude d'un fossile fait souvent appel aux techniques de moulage. S'il est conservé à l'état d'empreinte, dit « moule externe », on coule dans le creux de la gangue une substance qui, solidifiée, restitue la forme de l'organisme. Les matériaux de moulage sont des élastomères. Ils sont faciles à manipuler, très fiables, solides et d'une grande souplesse d'utilisation. Certains

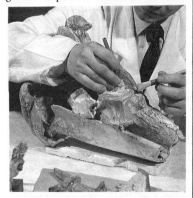

moulages particuliers sont exécutés en résine synthétique, en latex, en matériau de moulage dentaire. Le plâtre sert à reconstituer les parties détériorées ou manquantes d'un spécimen, ou à reproduire intégralement une pièce fossile.

Les micro-organismes

Le monde des micro-organismes nécessite des techniques d'observation physico-chimiques très spécialisées : examen microscopique en lumière polarisée, utilisation de l'éclairage par ultraviolets, microscopie électronique à balayage, micro-analyse électronique, etc.

Les techniques mathématiques

La paléontologie moderne fait plus que jamais appel aux techniques mathématiques. La biométrie trouve ici une utilité pleinement justifiée. Les méthodes de statistiques élémentaires sont appliquées à des séries de mensurations, lesquelles sont choisies par le paléontologue en fonction de telle ou telle étude. Enfin l'ordinateur entre en jeu lorsque les spécimens fossiles sont soumis à des analyses multidimensionnelles.

Etre paléontologue aujourd'hui

Voici donc les moyens dont dispose la paléontologie moderne, les techniques dont le paléontologue d'aujourd'hui aura à se servir. D'autres outils plus subtils entrent alors en jeu, qui sont les connaissances scientifiques proprement dites. Travaillant dans le domaine immense des formes vivantes étagées sur plus de trois milliards et demi d'années, il doit bien évidemment se spécialiser. Le chercheur est micropaléontologue ou paléovertébriste, s'attachant souvent à l'étude d'un groupe particulier : il y a, dans le domaine de la paléontologie, des spécialistes de Foraminifères, de Bivalves, d'Échinodermes, de Reptiles, de Micromammifères, etc. De plus, chaque groupe se développant dans le temps, on étudiera particulièrement la flore du Carbonifère, les Amphibiens du Permo-Trias, les Dinosaures, les Équidés du Pliocène...

Au Niger, découverte d'un squelette de dinosaure, affleurant dans des terrains crétacés, décapés par l'érosion ; la colonne vertébrale est bien visible.

Son travail commençant sur le terrain, le paléontologue possède de solides connaissances en géologie. Toutes ces nécessités deviennent pour le paléontologue autant de moyens pour comprendre et pour reconstituer le prodigieux univers sur lequel il travaille. Pour cela, ses connaissances générales doivent s'élargir à toutes les sciences de la Nature. Reconstituer la vie des êtres disparus implique la compréhension de leur environnement et de leurs conditions de vie, lesquelles sont liées à tous les phénomènes naturels qui sévissaient sur notre planète : transformations de l'atmosphère, des continents, des masses océaniques, évolution des climats...

Enfin, nécessité ultime, la connaissance des sciences biologiques réclame ici sa place : c'est la compréhension des grands principes de la génétique et de l'embryologie, et des possibilités de la biologie. Et osera-t-on dire encore que le paléontologue doit posséder des notions de base en physique, en chimie, enfin en mathématiques... ?

Pour mettre à jour ses connaissances et en acquérir de nouvelles, le paléontologue utilise un dernier outil : la documentation bibliographique, ce qui implique que toute découverte soit publiée (elle ne sera officiellement reconnue qu'à partir de là). Le paléontologue est donc contraint, tout comme ses semblables dans les autres disciplines, à la rédaction régulière du compte rendu de ses résultats de travail, sous la forme la plus précise et la plus claire possible.

Aujourd'hui, le paléontologue ne travaille plus isolément, il s'intègre dans une équipe où la compétence des techniciens complète celle des chercheurs ; enfin il collabore avec ses confrères internationaux. La paléontologie moderne, la plus complexe des disciplines naturalistes, réclame, pour s'exercer complètement, un parfait travail de collaboration.

Extraits de l'article
de Yvette Gayrard-Valy,
Dossier Histoire et Archéologie,
n° 102, « Sur les pas des Dinosaures »

BIBLIOGRAPHIE

Ouvrages généraux

Buffetaut E., *A Short History of Vertebrate Palaeontology*, Croom Helm, Beckenham, 1987.

Chaumeton H., Magnand D., et coll., *Les fossiles*, France Loisirs, Paris, 1985.

Colbert D., *Dinosaurs. Their discovery and their world*, Collins, Londres, 1983.

Deflandre G., *La vie créatrice de roches*, PUF, coll. Que sais-je ?, Paris, 1967.

Fischer J.-C. et Gayrard-Valy Y., *Fossiles de tous les temps*, Les Éditions du Pacifique, Papeete-Tahiti, 1976.

Fischer J.-C. et Gayrard-Valy Y., *Je découvre les fossiles*, Leson, Paris, 1977.

Fischer J.-C., *Fossiles de France et des régions limitrophes*, Masson, coll. Guides géologiques régionaux, Paris, 1980.

Fischer J.-C., *Les fossiles sous nos pas*, Hatier, coll. Guides point vert, Paris, 1985.

Gayrard-Valy Y., *La paléontologie*, coll. Que sais-je ?, Paris, 1984.

Ginsburg L., *Les Vertébrés, ces méconnus, 600 millions d'années d'évolution des origines à l'homme*, Hachette, Paris, 1979.

Halstead L. B., *Dinosaures*, Nathan, Paris, 1976.

Hublin J.-J., *L'évolution de la vie*, Flammarion, coll. Chat perché, Paris, 1981.

Lambert D., *Collins Guide of Dinosaurs*, Collins, Londres, 1983.

Mazin J.-M., *Au temps des Dinosaures*, Nathan, coll. Monde en poche, Paris, 1983.

Pinna G., *Les fossiles invertébrés*, Grange Batelière, Paris, 1973.

Pinna G., *Les fossiles*, Robert Laffont , Paris, 1974.

Pinna G., *L'histoire de la vie. Fossiles, témoins de 4 milliards d'années*, Hatier, Paris, 1983.

Spinar Z., *Encyclopédie de la préhistoire*, La Farandole, Paris, 1973.

Ouvrages spécialisés

Babin C., *Éléments de paléontologie*, Armand Colin, Paris, 1971.

Beaumont G. (de), *Guide des vertébrés fossiles*, Delachaux et Niestlé, Neuchâtel, 1971.

Desmond A. J., *The Hot-Blooded Dinosaurs*, Blonds & Briggs, Londres, 1975.

Fischer J.-C., *Fossiles de France et des régions limitrophes*, Masson, coll. Guides géologiques régionaux, Paris, 1980.

Gall J.-C., *Environnements sédimentaires anciens et milieux de vie*, Doin, Paris, 1976.

Gignoux M., *Géologie stratigraphique*, Masson, Paris, 1950.

Lehman J.-P., *Les preuves paléontologiques de l'évolution*, Masson, coll. sup., Paris, 1973.

Middlemiss F. A., Rawson P. F. et Newall G., *Faunal Provinces in Space and Time*, Seel House Press, Liverpool, 1969.

Moret L., *Manuel de Paléontologie végétale*, Masson, Paris, 1949.

Moret L., *Manuel de Paléontologie animale*, Masson, Paris, 1966.

Pomerol C., *Ere Cénozoïque (Tertiaire et Quaternaire). Stratigraphie et Paléogéographie*, Doin, Paris, 1973.

Pomerol C., *Ere mésozoïque. Stratigraphie et Paléogéographie*, Doin, Paris, 1975.

Pomerol C. et Babin C., *Précambrien, ère paléozoïque. Stratigraphie et Paléogéographie*, Doin, Paris, 1977.

Roger J., *Paléontologie générale*, Masson, coll. Sciences de la Terre, Paris, 1974.

Roger J., *La paléoécologie*, Masson, coll. Ecologie, Paris, 1977.

Romer A. S., *Vertebrate Paleontology*, Univ. Chicago Press, 1966.

Thomel G., *Ammonites*, Serre, Nice, 1980.

Traité de paléobotanique, publié sous la direction de E. Boureau, Masson, Paris, 1964-1970.

Traité de paléontologie, publié sous la direction de J. Piveteau, Masson, Paris, 1952-1969.

British Fossils, British Museum (Natural History, Londres), I, *Palaeozoïc*, 4e éd. ; II, *Mesozoïc*, 5e éd. ; III, *Caenozoïc*, 5e éd., 1975.

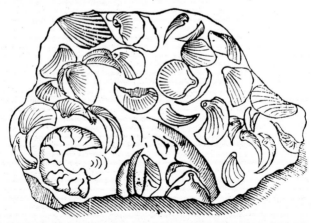

CRÉDITS PHOTOGRAPHIQUES

Archiv für Kunst und Geschichte, Berlin 108/109, 110/111, 158 ; B. Battail, Paris 194 ; Bibl. nat., Paris 25, 29h, 32h, 32b, 34h, 35, 36b, 37, 46, 47, 48-51, 70h, 84-85, 100, 128, 129, 144h, 147, 150, 178/179 ; Bibliothèque d'Hyères 60h, 61h ; Bibliothèque de l'Institut, Paris 63h ; Bibliothèque du Muséum national d'Histoire naturelle, Paris 25b, 27, 32/33, 33b, 38, 39, 40-43, 52, 53b, 57h, 57b, 60/61, 62, 67, 71h, 79b, 80, 82, 101b, 102b, 103, 132/133, 137, 141, 148/149, 162/163, 176/177 ; Bridgeman Art Library, Londres 78, 81 ; Charmet, Paris 9, 58, 59, 112, 124/125 ; D. Serrette. Muséum national d'Histoire naturelle, Paris 10, 22b, 53h, 72-77, 156, 159/160, 161, 164-169, 170, 196/197 ; Dagli Orti 16, 17, 56 ; DR 1-7, 15h, 18/19, 44, 54, 62/63, 66, 68, 69, 70b, 86/87, 88/89, 91b, 97, 104h, 113, 115, 123, 126, 130, 131, 145b, 154, 171 ; Edimédia, Paris 152, 176 ; ET, archives 85, 102h ; Explorer archives, Paris 79h ; Field Museum of Natural History, Chicago 96, 107, 134/135, 138 ; Fischer, Paris 185, 186, 187 ; Giraudon 24, 28, 55, 65 ; Institut royal des sciences naturelles de Belgique, Bruxelles 83, 92, 93h, 93b ; Jean Vigne, Paris 29 ; Keystone 98h ; Mansell Collection, Londres 90/91 ; Mary Evans/ Explorer, Paris 23h, 90h, 90/91, 98b, 99, 104b, 106, 114, 126h ; Musée de l'Homme, Paris 12h, 12b, 13q, 13d ; Musée de l'Homme, Paris 180/181, 182/183 ; Musée des Arts et Traditions populaires, Paris 45 ; National Museum of Wales, Cardiff 15b, 22h ; Novosti, Paris 127 ; P. Taquet, Paris 175, 198/199 ; P.P.P., Paris 195 ; Peaboby Museum, Yale University, New Haven 118/119, 120, 121 ; Peale Museum, Baltimore 116/117 ; Rapho 21b, 105 ; S. Laroche, Paris 190, 191-193 ; Scala 20/21, 26, 37 ; Staatliche Kunstsammlungen, Dresde 23b ; Tallandier, Paris 146 ; Viollet, Paris 11, 18h, 34b, 64/65, 71b, 122, 140, 142, 144b, 153, 157, 188, 189 ; Yorkshire Museum, York 14.

REMERCIEMENTS

Nous remercions les personnes et les organismes suivants pour l'aide qu'ils nous ont apportée dans la réalisation de cet ouvrage : B. Battail, maître de Conférences au Mus. nat. Hist. nat., Paris ; J. Blot, directeur de Recherche au C.N.R.S., Paris ; Mme G. Bouvrin, bibliothécaire au laboratoire de Paléontologie des vertébrés et de Paléontologie humaine de Paris VI ; E. Buffetaut, enseignant C.N.R.S. à Paris VI ; J.-C. Fischer, sous-directeur au Mus. nat. Hist. nat. ; Mme M. Gayet, chargée de Recherche au C.N.R.S. ; L. Ginsburg, sous-directeur au Mus. nat. Hist. Nat. ; D. Gonjet, maître de Conférences au Mus. nat. Hist. nat. ; l'Institut royal des sciences naturelles de Belgique, Bruxelles ; Y. Laissus, conservateur en chef de la bibliothèque du Mus. nat. Hist. nat. ; H. Lelièvre, assistant au Mus. nat. Hist. Nat. ; le National Museum of Wales à Cardiff ; P. Pitrou, photographe ; Mme E. Salmon, du musée historique de Montbéliard ; D. Serrette, photographe à l'Institut de paléontologie, Mus. nat. Hist. nat. ; M. le professeur P. Taquet, directeur du Mus. nat. Hist. nat. ; Mme M.-T. Venec-Peyré, chargée de Recherche au C.N.R.S. ; Mme M. Véran, assistante au Mus. nat. Hist. nat.

Nathalie Palma nous a apporté une précieuse collaboration pour l'ensemble de cet ouvrage. Nous l'en remercions tout particulièrement.